包容性创新促进经济增长影响机制研究

——基于跨越中等收入陷阱视角

湛 泳◎著

湘潭大学出版社

前　言

“十三五”时期是我国全面建成小康社会的冲刺期，要落实“扶贫攻坚”的既定目标，关键是如何使低收入群体的收入实现增加，减少并最终消除贫困人口。这不仅是实现和谐社会的内在要求，也同样是成功跨越“中等收入陷阱”的重要一环。换言之，实现面向广大低收入群体的包容性经济增长，将显著地缓解和降低贫困，从而更为有效地“精准扶贫”。我国有4.86亿生活在“金字塔底层”（简称BOP）的人群，包容性经济增长将是他们分享发展成果的有力途径，而要在宏观层面实现包容性增长，包容性创新是关键。遵循人人有责、机会均等与利益共享的包容性创新和发展战略，有助于我国成功应对经济发展过程中存在的重大挑战，保障经济社会实现“创新、协调、绿色、开放、共享”发展，进而顺利跨越“中等收入陷阱”。有鉴于此，本书将对包容性创新问题进行探讨，并研究包容性创新促进经济增长，进而顺利跨越“中等收入陷阱”的影响路径，以期为我国跨越“中等收入陷阱”提供具有参考价值的政策建议。

本书的主要内容如下：

第一章，绪论。介绍文章的研究背景、研究意义、国内外文献研究现状、研究思路及方法和本书的创新及不足之处。

第二章，包容性创新与中等收入陷阱的理论与现实基础。包括包容性创新与中等收入陷阱的概念与内涵，我国包容性创新的发展环境、现状与挑战，我国经济增长的阶段与现状以及面临“中等收入陷阱”下的危机与优势。

第三章，包容性创新与“中等收入陷阱”的国际经验总结。既包括落入“中等收入陷阱”典型国家经济社会发展的主要特征和失败教训，也包括成功跨越“中等收入陷阱”典型国家经济社会发展的主要特征和成功经验。同时，论述了私营企业、基金会等各类主体进行包容性创新的国际经验以及全球包容性创新面临的教训与挑战。

第四章，包容性创新促进经济增长的影响机制研究。该部分首先分析包容性创新与跨越中等收入陷阱之间的关联机制，然后从收入分配结构、内需和产业结构三条路径细述包容性创新促进经济增长的具体机制。

第五章，包容性创新促进经济增长影响机制实证分析。构建包容性创新绩效水平评价指标体系，对地方的水平差异进行初步分析，利用2005~2013年间我国30个省份的面板数据，运用中介效应模型对包容性创新通过调整收入分配结构、扩大内需和促进产业结构升级这三种中介效应从而推动经济增长进行了实证分析，探讨包容性创新助推跨越“中等收入陷阱”路径的有效性。

第六章，主要结论与相关对策建议。以理论基础、现状分析和实证检验结果为根据得出本书的主要结论：包容性创新能够促进经济增长，其通过缩小收入差距、扩大内需、促进产业优化升级这三条路径能够最终助推我国跨越“中等收入陷阱”，这为我国在广大农村贫困地区推行包容性的“创新驱动发展”战略提供了强有力的佐证。在此基础上，提出相应的对策建议推动包容性创新助推我国跨越“中等收入陷阱”。

本书的理论贡献与主要创新如下：

（1）定量研究。当前对经济发展问题的研究多为定性研究，定量研究存在诸多困难。本书通过构建包容性创新绩效水平评价指标体系，对包容性创新促进经济增长的影响效应进行实证分析，丰富了包容性创新的实证研究。

（2）以往研究更多地着眼于其他角度，如收入分配等，分析对促进跨越“中等收入陷阱”的影响，本书基于包容性创新视角，探讨其对于促进跨越“中等收入陷阱”的影响机制，并运用实证的方法进行验证，这是对已有研究角度的创新。

（3）以往跨越“中等收入陷阱”基于国别数据进行研究，本书立足于省级数据层面进行分析。从可能促进跨越的因素入手，分析包容性创新通过这些因素间接影响经济增长，或者是对经济增长直接影响，从而说明包容性创新水平高的省份经济增长水平也高，只有各省份的经济增长水平都提高，才更有利于跨越“中等收入陷阱”。

（4）分全国和区域两个维度进行实证分析。本书从“精准扶贫”的视角出发，采用我国大陆地区30个省市2005～2013年间的相关数据，实证研究包容性创新助推跨越“中等收入陷阱”三条路径的有效性，进一步得出在我国如何更好地把握包容性创新对经济增长的促进作用。

目　录

第一章 绪 论

我国是世界上最大的发展中国家，如何实现经济的可持续增长一直是学术界关注的焦点。2010 年，我国人均 GDP 跨过 4000 美元的下限，正式迈入中高等收入国家行列，但与此同时，我国也显露出跌入“中等收入陷阱”的可能性，主要表现在收入差距扩大、经济发展失衡、公共服务滞后、经济增速减缓等方面，借鉴以往国际经验，当经济体达到中等收入水平后，由于发展战略转换不及时、内部矛盾大量涌现或外部环境冲击，经济发展将减缓甚至陷入长期停滞状态（Gill and Kharas，2007）。因此，下一个阶段，我国经济发展的重中之重是如何转变经济发展方式，进一步提高国民收入水平，从而实现对“中等收入陷阱”的历史性跨越。尽管在“中等收入陷阱”跨越上存在一定难度，但从世界各经济体的经验来看，日本、韩国、中国香港等国家或地区仅花费十年左右的时间就实现了人均 GDP 达到 10000 美元的水平，而马来西亚、阿根廷、智利等国却长陷其中。由此，未来的经济发展核心问题与趋势，将会是把世界各国或地区的研究经验与我国实际情况结合起来，思考向高收入水平迈进的途径。

纵观世界各国中由中等收入迈入高收入的成功案例，值得借鉴的经验基本指向了同一助力——技术创新。依据内生经济增长理论，只有技术创新才是经济增长的持久动力，这些国家依靠强而有力的技术革命，从原有粗放的要素增长模式过渡到了通过技术创新实现经济可持续增长。而经济增长是衡量能否跨越中等收入陷阱的一个关键因素，探索经济增长阶段性动力、转变经济发展方式、确立新的经济增长点，将有助于我国实现“中等收入陷阱”的跨越。我国在 2015 年的经济增速首次回落到

7%以内，传统的增长模式已经不再适应经济转型升级的要求，中国经济必须创造新的增长点。已有研究发现，创新不足是导致落入“中等收入陷阱”的主要原因之一，针对创新在经济转型中的至关重要作用，技术创新作为转变经济发展方式的着力点，受到决策层的高度关注及重视，中共十八大将创新驱动发展战略写入决议，特别指出，即将到来的“十三五”时期将是我国经济社会发展实现跨越的重要时期，可见，以创新驱动经济增长，提高我国经济竞争力以应对外部冲击，缓和内部经济社会矛盾将是未来发展的重点。近日，国务院发布《国家创新驱动发展战略纲要》提出，我国到2050年要建成世界科技创新强国，成为世界主要科技中心和创新高地，因此，探究科技创新对经济增长的影响路径，将是今后实现经济又好又快发展的研究重点。

“十三五”时期是我国全面实现小康社会的冲刺期，要落实“扶贫攻坚”的既定目标，关键是如何使低收入群体的收入实现增加，减少并最终消除贫困人口，这不仅是实现和谐社会的内在要求，也同样是成功跨越“中等收入陷阱”的重要一环。换言之，实现面向广大低收入群体的包容性经济增长，将显著地缓解和降低贫困，从而更为有效地“精准扶贫”。我国有4.86亿生活在“金字塔底层”（简称BOP）的人群，包容性经济增长将是他们分享发展成果的有力途径，而要在宏观层面实现包容性增长，包容性创新是关键。遵循人人有责、机会均等与利益共享的包容性创新和发展战略，有助于我国成功应对经济发展过程中存在的重大挑战，保障经济社会实现“创新、协调、绿色、开放、共享”发展，进而顺利跨越“中等收入陷阱”。有鉴于此，本书将对包容性创新问题进行探讨，并研究包容性创新促进经济增长，进而顺利跨越“中等收入陷阱”的影响路径，以期为我国跨越“中等收入陷阱”提供具有参考价值的政策建议。

第一节　研究背景

研究包容性创新促进经济增长的影响机制问题，我们必须把本国的经济发展置身于世界经济发展的大环境中，正确分析国际国内经济发展趋势，紧紧抓住加速我国经济社会发展的战略机遇，同时清醒认识所面临的各方面挑战，加强战略布局和谋划，妥善应对，才能成功跨越“中等收入陷阱”，迈入高收入国家行列。

一、包容性创新促进经济增长面临的良好机遇

我国以包容性创新助推经济增长所面对的有利环境，应从国际和国内两个层面加以考虑，具体表现在以下几个方面：

（一）国际经济格局深度调整

国际经济格局，其核心要义是大国或国家集团之间的经济力量对比关系与支配他国经济乃至全球经济的权力配置情形，主要涵盖经济发展、国际贸易与国际金融三个层面的力量对比情况。长期以来，对于国际重大经济问题的磋商和解决，都由少数几个发达国家来决定，大多数国家特别是发展中国家很少有机会参与其中，世界经济发展不平衡性突出。在国际金融危机的影响下，全球经济形势正在经历深刻复杂的变革，传统国际经济协调平台已难以维系，受各国经济体制和政策以及自然禀赋、发展阶段等因素的制约，全球经济呈现板块化新局面。同时，世界多极化和经济全球化进一步深化，文化多样化和社会信息化深入推进，更多国家平等参与、共同发挥作用的国际信息共享、合作协调机制逐步形成，广大发展中国家的积极性和潜在优势将得到充分发挥。我国作为当今世界经济发展的主要引擎，在世界经济格局深度转型调整中务必将拥有更多的话语权，从而为我国公平参与国际经济合作与交流创造更多的机会，推动符合大多数国家需要的国际经济与贸易投资规则的建立，使世界经济治理更加均衡、公平和民主化。

（二）世界经济结构持续优化

2008 年的国际金融危机，被认为是世界经济结构的整体危机，而非一次简单的周期性危机。主要原因是支撑世界经济增长的原有结构已经支离破碎，不足以维持世界经济的持续增长，而能够带动世界经济恢复增长的新结构、新机制尚未形成。因此，世界经济要想彻底走出金融危机阴影，重新回到强劲增长的轨道，必须更好地促进创新和

新知识、新技术的推广及普及，以此推动世界经济结构的转型升级和优化调整。目前，各国已逐步达成共识，结构调整是推进经济稳定复苏的最优方案。在各国积极践行经济结构调整的国际背景下，我国经济也面临着良好的发展机遇：一方面，外需的萎缩所产生的倒逼机制和世界范围内广泛的结构调整趋势都有助于我国粗放经济增长方式的转型，推动我国的产业结构优化升级，逐渐减少经济增长对低端产品出口的依存度；另一方面，发达国家经济结构的空心化为我国引进新兴产业、高端技术及装备、管理经验和高层次人才创造了更多的机会，有利于我国产业在全球价值链中地位的上升。

（三）全球科技创新孕育突破

信息技术的快速发展、互联网的深度应用是把双刃剑，既能导致强势群体和弱势群体间“数字鸿沟”持续拉大的不良后果，也可以成为实现包容性发展的创新方式。包容性创新的本质是利用科学、技术和创新改善金字塔底层群体的福利，解决低收入群体的基本需求。目前，全球新一轮科技革命和产业变革方兴未艾，科技创新正加速推进并深度融合，广泛渗透至人类社会生活中的方方面面，成为重塑世界格局、开创人类未来的主要力量。同时，世界科技发展呈现出新趋势：一是颠覆性技术层出不穷，不断创造新产品、新需求、新业态；二是科技更加以人为本，绿色、健康、智能成为引领科技创新的重点方向；三是“互联网+”蓬勃发展，致力于全方位变革人类生产生活。由此看来，创新理念正在不断从“精英型创新”转向“包容性创新”，科技创新在满足人类不断增长的个性化多样化需求、增进人类福祉方面，将发挥出超乎想象的推动力。在这一趋势推动下，我国近日提出国家创新驱动发展目标：第一步，到2020年跻身创新型国家行列，基本完成中国特色国家创新体系的建设，初步形成创新型经济格局；第二步，到2030年跻身创新型国家前列，发展驱动力实现根本转换，为建成经济强国和共同富裕社会奠定坚实基础；第三步，到2050年建成世界科技创新强国，成为世界主要科学中心和创新高地，为创建富强民主文明和谐的社会主义现代化国家、实现中华民族伟大复兴的“中国梦”提供强大支撑。

（四）大国经济后发优势显著

从国情上看，我国幅员辽阔，丰富的自然、矿产资源能充分满足经济发展的基本需求。从经济总量上看，作为世界第二大经济体，2015 年我国 GDP 占世界的比重达到 15.5%，逐年上升，实力不断增强。从人口总量上看，我国一直稳居世界第一人口大国地位。人口既是生产者，也是消费者。我国经济的迅速崛起，首先，归因于庞大人口基数带来的低劳动力成本优势；其次，归因于庞大人口构成的规模市场对全世界投资者的吸引力；再次得益于政府在教育培训上的持续投入，我国人力资本优势逐步显现，能够为现代化建设提供强有力的人力和智力支持；然后，从市场容量看，随着城乡居民生活水平的不断提高，居民消费需求得到不断释放，国内市场容量持续扩大，为制造业和服务业创造了较大的发展空间；最后，通过长期的高速稳定发展，我国商品和服务的供给能力不断提高，资金供应较为完善，基础设施也相对充足，这些都为我国有效缓解经济增长的瓶颈制约、实现平稳较快发展提供了有利形势。

（五）宏观制度环境逐步健全

从政治制度上看，中国共产党领导下的人民代表大会制度、多党合作和政治协商制度等，具备独创性和优越性，既能凝聚各族人民力量、有效保证经济社会发展的稳定大局，又能及时主动调整以适应中国社会政治经济等各方面的发展和变化。从经济制度上看，以公有制为主体的社会主义市场经济符合我国国情，同时顺应时代潮流，不仅能充分保证宏观经济运行的稳定性，防止经济运行大起大落，还能构建各种经济成分平等竞争的市场机制，不断提高中国经济的整体实力。从政策措施上看，政府出台多项科技创新政策推进供给侧结构性改革、服务实体经济转型升级，全力创建普惠性政策扶持体系，努力打造大众创业、万众创新的良好制度环境，不仅有助于稳增长、扩就业、激发亿万群众智慧和创造力，而且还能推动社会纵向流动、公平正义的实现。从包容性创新构成上看，体制创新是包容性发展的重要部分和关键支撑，政府不断强化反腐败体制机制创新和制度保障，深入推进党风廉政建设，一方面能够有效提升政府公信力，另一方面能够积极推动和谐社会的建设，为包容性创新的发展提供制度环境支持。

二、包容性创新促进经济增长面临的重大挑战

国际经济发展环境复杂多变，我国既可以分享全球经济发展带来的良好机遇，也可以直面各种严峻挑战。同时，国内经济步入发展“新常态”，一些突出性的困难和问题凸显，如果不能保持高度警惕，及时调整相关政策，则很有可能使矛盾积聚超过临界点而爆发经济和社会危机。具体来说，我国经济运行中存在的不利因素和不确定因素如下：

（一）世界经济整体增速低缓

2008 年以来，世界经济发展受到金融危机的深刻影响，经济复苏趋势虽在延续，但根基不牢，复苏步伐缓慢且反复，主要经济体走势和政策取向进一步分化，低增长、低通胀、低需求与高失业、高债务、高泡沫等风险交织，经济环境的不确定性更加突出。尤其是发达国家经济增长乏力，新兴经济体增速进一步回落，进而导致世界经济进入低速增长期、国际贸易持续低迷、国际金融市场波动剧烈、大宗商品价格大幅下跌。长期以来，我国经济发展的“三驾马车”中，投资和出口是主要拉动力，而投资在很大程度上也和出口密不可分，因此，外需变化会直接影响我国经济增长。目前我国外需急剧缩减，外贸依存度高，严重阻碍我国经济的持续、健康发展。究其缘由，一是受全球市场疲软的影响；二是随着发达国家再工业化以及部分发展中国家加速融入世界经济，加上国内生产成本上升和环境、资源制约加强，我国出口面临发达国家下压和发展中国家上挤的双重压力；三是国际贸易之争愈发激烈，发达国家的贸易保护主义盛行，新的贸易规则、产业行业标准及技术、质量、环保等条件日趋严苛，也使我国贸易在外需疲弱的影响下雪上加霜。

（二）收入分配两极分化加剧

不恰当的收入分配方式导致经济增长与收入分配不平等互相交错，共同演化，甚至将其长期封锁于恶性循环内。即便适度的收入不平等（基尼系数在 0.2 ~0.35 之间）被视为是有利于经济发展的，但收入差

距过大、贫富分化严重被认为是长期经济增长的最大杀手，同时也是造成社会不公和动荡的重要原因。国家统计局数据表明，2015 年我国居民收入基尼系数为 0.462，虽然这是自 2009 年来连续第 7 年下降，但是仍高于国际警戒线 0.4，收入分配两极分化问题仍然十分严重，是经济发展、社会进步的重要制约因素之一。首先，过度的收入差距会通过信贷、储蓄、投资等渠道制约经济增长。这是由于在给定收入水平的条件下，不平等程度越高，有资格取得信贷的人就越少；同时，由于高边际储蓄率与高投资率一般出现在中产阶级群体中，经济中的存款率和投资率也就越低。其次，贫富两极分化会阻碍社会稳定和民族团结。因为较大的收入差距加强了富人的政治权力和经济力量，获利能力也相应获得持续提高，而穷人则会丧失更多的上升渠道和发展机会，对社会的不满情绪加剧，导致整个社会充斥着不安定与动荡的潜在危害。数量庞大的贫困人口，收入不平等现象严重，对政府针对低收入群体开展包容性创新以改善其社会经济福利提出了严峻挑战。

（三）生态环境资源约束趋紧

历经持续多年的高增长，我国成长为世界第二大经济体，但从 20 世纪 90 年代以来，经济增长的主要特征表现为高投资、扩规模、高污染、高能耗，给经济发展造成了许多不良影响。第一，自然资源的约束。经济发展需要消耗大量资源，国际资源供求关系长期处于偏紧状态。一方面，国内能源资源储量有限，但产品单位能耗远远高于发达国家，储量消耗快；另一方面，一些原本资源出口大国出于地缘政治和意识形态等方面的考虑，出现惜售现象，资源供应态势更紧张。随着经济总量的进一步扩张，粗放型增长模式将面对愈加严重的资源约束，阻碍产业结构转型升级。第二，生产要素的约束。扩张生产规模要求投入大量资金，受储蓄率的限制，加上“人口红利”的逐渐丧失，劳动投入的增加也将进一步受限。如果生产要素投入达到或超过其承载力，凭借持续加大资金和劳动投入的增长方式，将导致经济增长陷入规模效应递减状态，这是无效率的。第三，生态环境的约束。粗放型增长方式也会给生态环境造成严重的危害，高投入的增长方式无视高耗能、高污染对自然环境与人类生存环境所造成的破坏，导致环境利用率远远不足标准水平，不仅不能维持经济的可持续发展，还严重阻碍生态环境的自我修复。

（四）国内消费市场有待升级

消费是经济增长的持续动力。从国际经验看，一国在迈入中高等收入国家行列之后，居民需求十分旺盛，经济增长动力已由投资主导过渡到消费主导。但在我国，目前最终消费需求迟迟未能发挥主导性增长引擎的功能，投资驱动型发展模式受限于最终消费需求不足，国内消费市场发展空间有待进一步开发。2015 年，我国消费市场运行总体平稳并呈前低后高、小幅回升态势，全年实现社会消费品零售总额 30.1 万亿元，同比增长 10.7%；而全社会固定资产投资总额达到 56.2 万亿元，同比增长 9.8%，虽然消费对国民经济增长的贡献率进一步提升至 66.4%，但是消费需求总额依然不及投资需求。2015 年，城镇居民人均消费性支出 21392 元，按当年汇率计算约为 3303 美元，与处于同一发展阶段的韩国、新加坡等国相比，人均消费支出明显不足。因此，在社会劳动生产率较低、居民总体收入水平不高且差距较大的现状下，高端消费需求外流，中低端消费需求不足，为了充分发挥最终消费需求的增长引擎作用、实现向创新驱动的转换升级，包容性创新是一种可行的战略方案选择，这主要是由于它关注且鼓励帮扶弱势群体的创新活动、产品开发，重视包括弱势群体在内的所有民众的创新能力、发展能力的提升，发展条件的创造、发展机会的均等以及发展成果的共享。

通过以上对我国包容性创新促进经济增长面临的机遇和挑战情况分析，我们认为我国规避“中等收入陷阱”的机遇和挑战并存，但机遇大于挑战。在新的历史条件下，只要我国以“创新、协调、绿色、开放、共享”五大发展理念为引领，推进供给侧改革，深化结构性改革，扩大有效供给，提升发展平衡性、包容性和可持续性，牢牢抓住国内外各种战略机遇，积极应对各种挑战，就能够有效规避“中等收入陷阱”，顺利迈入高收入国家行列。

第二节 研究意义

一、拓展包容性创新相关研究的需要

通过对已有关于包容性创新研究文献的梳理和总结，本书将从以下三点深化对包容性创新的研究。第一，包容性创新立足于解决近年来由贫困和不平等状况所引发的经济和社会问题，强调在发展的基础上实现公平与平等，目前对于包容性创新的研究主要集中于概念界定、内涵构成以及影响因素等方面，且尚不完善。本书通过广泛研读和梳理包容性创新相关国内外学术成果，深入剖析包容性创新概念内涵及发展现状，比较分析各国包容性创新的成功经验、失败教训，并归纳总结出包容性创新促进经济增长影响机制及路径，一定程度上丰富了包容性创新的相关理论研究。第二，已有的国内外研究对于包容性创新的量化衡量、实证研究涉及较少，本书通过深入分析制约包容性创新的影响因素，选择合适的评价方法和构建指标体系对包容性创新进行有效测度，采用无量纲化以及等权重求和处理方法，并匹配2005～2013年我国31个省份的相关数据对各省包容性创新绩效进行了估算、比较和分析。之后，结合2005～2013年我国30个省份省级数据检验包容性创新对经济增长的影响机制，一定程度上弥补了当前包容性创新领域实证研究的空白。第三，首次基于跨越“中等收入陷阱”视角，探讨包容性创新促进经济增长的影响机制，并运用实证的方法进行验证，这是对已有研究角度的创新。同时，以“中等收入陷阱”为中介，拓展了当前我国“中等收入陷阱”相关研究，以期为我国尽早迈入高收入国家行列提供政策建议和理论支持。

二、实现社会公平正义的需要

包容性创新强调对低收入群体的关怀以及社会成果共享，在解决好就业、分配、社保等直接涉及惠民生的方面显示出传统创新难以超越的优势，其以深化改革的力量破除了体制机制障碍，为更多的普通

民众带来了福音，将有助于改善包括收入分配不平等、城乡二元化、区域发展不平衡等宏观经济问题。在当前复杂的国内外环境下，为促进经济的可持续发展、保持社会的和谐稳定以及健康的生态环境必须重塑发展理念，从单纯追求GDP的增长方式转向有利于低收入群体的包容性发展，强调经济增长在创造就业机会与价值的同时应消除由于个人背景或环境造成的机会不平等。用包容性发展理念审视中国未来经济发展方向，保障各群体尤其是弱势群体平等的参与权、发展权和公平竞争的市场环境，根除垄断特权、多元分割和各种歧视制度，从而推进各社会阶层之间理解、共融、和谐的实现，最大限度地减少发展中的经济和社会矛盾，在包容性发展中推进社会的公平正义，让人人都能共享改革发展的成果，不断增进中国特色社会主义的凝聚力。

三、促进消费拓展内需市场的需要

在日益激烈的国际竞争中，投资和出口面临着越来越严重的发展约束，促进消费、扩大内需已经成为新形势和新格局下实现经济可持续发展的重点所在。包容性创新以满足低收入人群需求为出发点，在充分考虑金字塔底端人群对产品和服务的可获得性和可负担性的基础上，通过创新活动创造出能够为更多人享用的产品和服务。因为低收入者的边际消费倾向于高收入群体，即便在社会总收入不变的条件下，收入差距较小的社会的国内消费需求也会比收入差距较大的社会更强。包容性创新强调给予弱势群体更多参与经济发展并分享经济发展成果的机会，以此使得经济发展的成果惠及更多的人群，有利于缩小城乡间、地区间和行业间的收入差距，有利于国内需求特别是消费需求的增加，推动我国经济增长由外需拉动型转向国内需求尤其是消费需求拉动型，促进经济更长时期内的可持续发展。通过包容性创新范围的不断延伸和扩展，涉及更多层面的更加适应各类人群的创新产品和服务将不断涌现，从而更大程度上刺激国内市场整体消费潜力，加快实现由消费促进发展的合理的经济发展方式，以此形成“消费型社会”。

四、推进转型升级和可持续发展的需要

长久以来，依靠增加生产要素的投入来扩大生产规模，促进经济

增长是我国经济发展的重要模式。在一国参与国际竞争的过程中，粗放型发展的国家往往依托于廉价劳动力和自然资源，通过吸引国际投资来弥补当地资本投资不足的劣势。然而，这种发展方式往往单位产品的资源消耗大、收益小、价格低、结构工艺滞后，甚至给一国自然环境造成很大的破坏，严重威胁经济的可持续发展。因此，加快经济发展模式由粗放型向可持续转变，是我国经济未来发展的必要途径。包容性让所有人享受发展的好处，反对机会排斥，倡导利益均衡。从经济学角度来看，包容性创新追求低成本、低价格、高收益的成果。由此可见，包容性创新与我国现阶段社会经济转型升级密切相关，通过开发和利用宽领域的社会群体创新力，形成经济改革成果惠及全社会的创新机制。同时，包容性创新倡导开发人力资本方式。迈入中等收入行列以后，伴随劳动力成本的逐步上升，原有的低成本劳动力竞争优势已经丧失，发展包容性创新，有利于提高弱势群体的人力资本，提高我国技术人员的劳动技能，进而有利于我国经济发展方式由资源、能源消耗型转向科技进步和劳动生产率驱动型，助推产业结构升级并提升国际地位，以便培育新的竞争优势，顺利迈入新的发展阶段。

第三节　国内外研究述评

一、包容性创新的相关研究

包容性创新一词由亚洲开发银行于 2007 年提出的“包容性增长”演变而来，其内涵与包容性增长具有相似之处，但亦有由侧重点不同而产生的不同的内涵。亚洲开发银行 2007 年提出“包容性增长”概念，认为经济增长的巨大益处要能够惠及所有民众，核心要义是保证机会平等性和参与公平性（蔡荣鑫，2010），随之衍生出“包容性创新”一词。包容性创新较之传统创新，侧重于满足低收入群体需求以及实现“人人共享创新成果”，而中国现阶段的经济已经出现收入分配结构失衡、城乡二元化结构突出、农民工难以融入现代城市社会（郑思齐等，2011）等问题，可以说，在我国占有相当大基数的低收入群体并没有真正共享经济发展成果，并且与正规经济体系脱节。综上，我国经济发展的包容性并不理想，而包容性创新却可以通过解决低收入群体的问题，促进经济增长。因包容性创新一词出现时间不长，已有的国内外研究以概念和特征探究为主。具体集中在以下三方面：

第一，包容性创新理论的演进。概括来说，福利经济学理论、社会排斥理论、包容性增长、破坏性创新理论以及 BOP（Bottom of the Pyramid，金字塔底层）战略共同构成了包容性创新的理论基础。在某种程度上，包容性创新可以消除社会排斥；而 Sen 的福利经济学认为社会福利只有当资源被公平分配时才会得到大幅改善；邢小强等（2013）梳理了包容性创新理论渊源，分别从包容性增长、金字塔底层战略与破坏性创新三个方面进行探讨，并结合包容性增长、BOP 战略、企业竞争优势、贫困治理与可持续发展等相关理论对包容性创新的内涵进行了诠释。贫困的根除需要考虑包容性增长问题（Sen Amartya，1999）；金字塔底层战略（Prahalad，2002）认为占世界人口 2/3 并处于金字塔底层的贫困群体蕴含着巨大财富，且他们的需求也一直未能被满足，如果企业能为他们提供更有效的服务，就能创造出更多的价值；Christensen（1998）提出的破坏性创新理论认为其是在非传统顾客新的和低要求的应用中产生，因为 BOP 人群有着大量未被满足的需求，同时其自身所处环境的特殊性，使得金字塔底层市场成为破坏性创新的天然实验场所（邢小强等，2010）。

第二，包容性创新的内涵。现实中存在对边缘化群体各种类型的排斥（Joseph，2014），“主流创新”通过提高高收入消费者的福利、正式生产者的生产力以及重点关注经济发展而非社会发展需求，使不平等现象延续（Klochikhin，2012），不平等现象长期制约了社会和经济发展，于是“包容性创新”应运而生（Prehalad & Hart，2002），因为“主流创新”使不平等增加，而包容性创新将减少不平等性（Lazonick and Mazzucato，2013）。现实中，包括“扶贫创新”“草根创新”以及“金字塔底层创新”都被贴上了包容性创新的标签，有必要对包容性创新概念进行界定。已有从不同视角给出的定义包括：基于对低收入人群与弱势群体关注（吴晓波，2012）、平等参与机会（Gerard George，2012）、企业构筑长远竞争优势动机（Simanis & Hart，2008）、企业与低收入人群价值共创与分享（Sen，1999）、体制创新（常修泽，2012）、开放性视角（邢小强，2010）、可持续发展视角（高传胜，2014）等。同时，邢小强（2013）等认为，包容性创新具有创新思维的系统性、创新形式的多样性、创新过程的开放性、创新机制的独特性以及创新结果的可持续性等特征。赵武和孙永康（2014）总结了包容性创新包含的两种发展模式：一种是金字塔顶端向低端自上而下（top - down）的创新模式；另一种是自下而上（down - top）的创新模式。另外，由于创新贯穿于一个新产品或服务生命周期的始终，包容性创新还应考虑创新体系的构建（Foster and Heeks，2013），其中 Heeks 等人（2013）提供的"包容性创新阶梯"的观点，认为包容性创新包括 6 层：意图、消费、影响、过程、结构以及结构后，是目前比较全面的概念理解。

第三，包容性创新的影响因素。Lina（2012）认为企业孵化器与风险投资是形成包容性创新的生态系统的重要支撑，但是目前通过企业推进包容性创新发展的路径存在诸多困难。文章以印度为例，发现由于银行和小额信贷机构不愿或无力资助社会企业家，所以通过企业家的努力促进包容性创新发展的作用很有限。Ioana 等（2013）以芬兰、西班牙、罗马尼亚等国家为例，表明创业教育对包容性创新的成功有重要影响。Shahzad 等（2012）认为社会资本对金字塔底层以及包容性创新都存在重要作用，企业需要充分利用当地社区和其他更丰富的网络资源推动其自身的创新进程。Eva 等（2010）发现创新型用户和包容性创新社区是影响包容性创新成功与否的关键因素。Dacin 等（2010）将社会创业理论引入包容性创新研究中，社会创业理论强调企业家精神和创业精神，而包容性创新的成功主要依赖于创新创业者的个人努力，企业家精神对包容性创新的成功存在直接作用力。

第四，包容性创新的测度。国内外关于包容性创新测度的研究较少，而包容性增长的文献相对较多，为测度包容性创新水平的相关研究提供了参考。如 Ali 和 Son Hyun（2007）以机会均等为假设，借助建立社会机会函数对包容性增长水平进行测度，并通过马尼拉和菲律宾有关居民住房、教育和医疗的相关数据验证了模型的合理性，但此方法适用于评价单项指标的公平性和包容性水平，并不适合评价一个国家或地区的总体包容性水平。Klasen（2010）构建了测度包容性增长的模型，强调以中低收入群体的收入增速是否超过高收入人群作为判断包容性的标准。McKinley（2010）构建了综合指标体系评价国家层面的包容性增长水平，但该指标体系是根据亚洲开发银行对外援助目标而设置，部分指标对中国的适用性有限。国内学者于敏和王小林（2012）基于经济增长和社会福利的视角，从可持续性、减少贫困和收入不平等性、参与经济机会的公平性和获得基础社会保障四个角度提出了一套测度包容性增长的指标体系，并引用我国 1998～2009 年的相关数据进行分析，发现我国经济处于基本包容状态。在包容性增长水平测度的相关研究的基础上，近年来我国学者也加深了对包容性创新测度的研究；刘琳琳（2013）以企业创新为例研究包容性创新能力、创新动力为主要着眼点，使用模糊综合评价法，构建评估标准体系；邹秀萍等（2013）基于区域创新系统理论，从包括包容性创新现实需求、所需支撑条件、创新环境、主体和效益五个方面，运用综合指数法构建了区域评价指标体系，对 2008～2010 年我国 31 个省级包容性创新能力进行了数量评价；高太山、柳卸林和周江华（2014）在之前的中低收入群体需求、包容性创新环境、主体、支撑条件和成果产出五个方面优化与重新选取了评价指标，运用综合加权的处理方式对我国 31 个省份的包容性创新能力进行测度。

第五，包容性创新的作用。其一，严格来说，包容性创新是包容性增长的一个衍生概念，包容性创新的直接结果就是促进包容性增长，而收入分配结构变化是检验增长是否具有包容性的主要途径，即收入不平等是否被降低（Foster & Feeks，2013；吴晓波，2012；邢小强，2013）。包容性创新能够为 BOP 群体提供创造收入的机会（Taimoor 等，2013），该群体的创新行为不仅为自身提供了就业机会，促进了社会公平（Anderson & Markides，2007），还能为这些“草根”创新者在市场上获得收益，缩小收入差距（Prahalad & Hartal，2002），所以包容性创新活动带来了技术向资源匮乏者的有效扩散，从而有效地提高了生产力。其二，包容性创新致力于提供满足 BOP 群体需求的产品和服务（Klochikhin，2012），这不仅是政府普遍服务目标的体现，同时也能扩大收入微薄群体支付得起的产品范围，进一步拉动内需。贫困人口的消费更低，这既是因为缺乏购买力，也是由于缺少获得产品和服务的途径，包容性创新能够打破这一瓶颈，为穷人提供更加便宜的产品和服务，从而激发这一群体被长期抑制的消费能力（Chataway，2014）。其三，包容性创新不仅来源于“草根”，其创新资源同样来自于非正规行业中的企业（Joseph，2014），这类企业是国家创新体系中的重要一环，却因为诸多原因享受不到正规行业所面临的创新激励，包容性创新能够为这类企业提供“包容性”机会，促使传统产业结构升级（谷盟和魏泽龙，2015），淘汰落后产能，提高产业生产效率，还能产生新的行业吸纳传统产业或者下岗职工，扩大社会就业（Nakata & Weidner，2012），进而促进经济增长。其四，包容性创新能对生态环境产生正向影响，Hart 和 Milstein（2003）将清洁技术、污染防治和包容性创新战略纳入可持续价值的框架中进行讨论。Hahn（2009）认为贫穷也会造成负面的环境影响，穷人为生存斗争可能导致环境恶化，进一步表明包容性创新在改善穷人状况的同时也有利于生态环境的优化。此外，包容性创新活动还有助于提高人口能力，提升新兴经济体的“人口红利”（Sungbum 等，2013）。包容性创新广泛的覆盖面也能够使政府的社会政策在规模和经济上产生可持续性，利于其在基层的推广。

二、“中等收入陷阱”的相关研究

“中等收入陷阱”一个重要衡量标准就是在经济增长过程中出现停滞和徘徊，人均 GDP 难以跨越高收入水平线，且触发原有经济发展过程中积累的矛盾。其相关研究主要集中在两个方面：

第一，“中等收入陷阱”影响因素内容研究。一是经济发展阶段性问题，在不同阶段，经济增长的驱动因素不同，分为要素驱动、资本或投资驱动、效率驱动或创新驱动以及服务驱动，如果没有适时转换，动力机制将陷入“中等收入陷阱”（Gill & Kharas，2007）；二是经济结构问题，如过度依赖国际市场（刘伟，2011）、需求结构不合理（Vandenberg & Zhuang，2011）或产业结构失衡（Jankowska et al，2012）等方面；三是经济发展模式问题，如高储蓄率和资本积累在经济增长的早期阶段作用显著，但在发展中后期会造成经济发展的不可持续性（吴敬琏，2008）；四是影响经济增长的内外部环境问题，如收入差距及发展不平衡（蔡昉，2008）、城市化水平过高（马晓河，2010）或过低（楼继伟，2010）、老龄化问题（孙立平，2012）与人口结构转型所带来的“人口红利”减少（蔡昉，2012）、社会流动性不足（蔡洪滨，2011）、人力资本和创新投入不足（马岩，2009）、对技术引进的依赖和自主创新的缺乏（陈亮，2011）、过度投资和消费不足（胡鞍钢，2011；周学，2010）等使得掉入“中等收入陷阱”的风险增加；五是制度约束、制度匹配问题，如陈昌兵（2008）表明我国财政支出体系正由生产支持型转向公共支出和行政管理型，如果此时公共财政支出超出经济承受水平，将难免掉入“中等收入陷阱”，另外，从社会福利体系角度分析，郑秉文（2011）认为社会福利制度必须要与经济发展相协调，否则就会跌入“福利陷阱”，阻碍经济发展。学术界对“中等收入陷阱”的研究普遍表明，在诸多影响因素中，产业结构未能及时实现优化升级，是导致有关国家增长动力不足，最终掉入“中等收入陷阱”的主要原因之一（李月和周密，2012；丁一兵等，2014）。

第二，“中等收入陷阱”国际经验的比较研究。仪明金等（2011）对拉美国家、韩国和马拉西亚等三种不同类型国家的经验教训进行了总结，并归纳出中国如何规避从而顺利跨越“中等收入陷阱”的政策建议。郑秉文（2011）以成功跨越“中等收入陷阱”并早已迈入高收入行列的东亚“四小龙”为参照系，分析了目前导致我国掉进陷阱的各种可能因素，提出规避对策和以制度、政策、基础设施为核心构成的促进经济转型的动力组合。孔泾源（2011）通过深入分析世界各国发展进程中形成“中等收入陷阱”的普遍现象和中国当前出现的特殊表象，研究各国不同的发展类型和体质特征，总结各国应对陷阱的经验教训后得出结论：唯有深化体制改革和制度创新，加快转变经济发展方式，才能顺利跻身高收入国家行列。马晓河（2011）借助国际比较认为加快体制机制改革、支持新兴产业发展、优化调整发展战略、改善贸易结构方式、培养以中产阶层为主体的橄榄型社会结构，是中国规避“中等收入陷阱”的选择。

第三，中国落入“中等收入陷阱”的可能性研究。其一，部分学者认为中国很难规避“中等收入陷阱”。宋圭武（2010）认为中国陷入“中等收入陷阱”的可能性较大，主要是由于中国腐败问题严重，加上长期形成的不讲法制、不讲规则、讲关系的处事方式。刘方棫和李振明（2010）出于推动收入可持续增长的视角，也认为中国落入“中等收入陷阱”的可能性较大。杜传忠和刘英基（2011）认为我国需求结构中投资、出口比重过高，消费需求不足，加上改革开放以来积累了一系列社会矛盾，导致中国陷入“中等收入陷阱”的概率极高。马晓河（2011）认为因为中国存在政策、管理体制和社会惯例等方面的不足，极大程度上阻碍产业结构升级和需求结构调整，经济转型过程十分迫切却又异常艰难，很有可能落入陷阱。梅伟霞（2011）认为中国正在实施的发展模式属于排斥性增长模式，不仅会导致社会断裂和失衡，还会消除改革的“帕累托效应”，使中国面临“发展天花板”和“中等收入陷阱”。其二，部分学者认为中国能顺利越过“中等收入陷阱”。马克（2010）认为中国经济刚步入中等收入国家行列，具有巨大的发展潜力，经济发展不会陷入长期徘徊甚至停滞的情况。侯永志和张军扩（2011）通过分析中东与拉美地区国家陷入“中等收入陷阱”的具体情况与对比中国当前经济发展阶段和工业化发展速度后表明，中国掉入“中等收入陷阱”的可能性不大。江时学（2011）和刘福垣（2011）分别指出由中等收入迈进高收入国家本身就存在极高的门槛，加速收入等级的划分具备相对性，因此“中等收入陷阱”本身就是一个伪命题。刘伟（2011）认为中国当前处于工业化加速时期，经济增长具备保持高速增长的潜力，同时潜在的城市化空间充足，具有跨越“中等收入陷阱”的发展优势。其三，也有部分学者态度不明确，无法确定。曾铮（2011）认为历史上许多国家和地区通过转换增长动力机制和改革经济发展体制实现了经济发展方式的转变，从而顺利跨越“中等收入陷阱”，韩国、日本、新加坡和中国台湾与中国大陆文化、国情相近，其成功经验对中国具有重要的借鉴意义，但他并没有明确判断中国是否会跌入“中等收入陷阱”。

第四，跨越“中等收入陷阱”路径的相关研究。跨越“中等收入陷阱”的关键实际上是如何实现经济体可持续的经济增长，而从多数研究的思路来看，跨越“中等收入陷阱”的路径主要有以下四条：

其一，注重平衡发展，收入分配结构的优化将有效改善贫富分化从而避免落入“收入陷阱”，这一点主要来自于对“中等收入陷阱”

成因的直接分析，国际经验比较认为，世界上深陷“中等收入陷阱”的国家如巴西、马来西亚等在中等收入增长期面临了较为严重的分配不公问题（郑秉文，2011），贫富差距的进一步扩大会使得经济体的收入结构呈现纺锤状的变化，最终对经济发展起到了负面效应，这一问题在类似于中国这样的新兴经济转型体日益突出（Ohno，2008），所以跨越“中等收入陷阱”的关键在于有效避免来自不合理收入分配结构的风险。我国应将改革开放初期“让少数一部分人先富起来”这个“不平衡”发展战略转向“共同富裕”的平衡发展战略，应以分配的公平为切入点，高度重视收入分配问题，调整经济与社会政策（蔡昉，2008），实现均衡发展战略。而蔡洪滨（2011）认为关键是保持一个合理的高社会流动性，而非人们通常关注的某些结构性因素。因为社会流动性低、社会利益结构固化会导致动态不平等，进而使长期经济增长停滞。

其二，转变发展方式。发展方式的转变包括微观资源配置和宏观调控方式两个层面。微观资源配置方式的转变一方面需要从体制改革中寻找增长的动力效率，另一方面是在产业组织和市场结构改进中寻求技术能力的创新。需求拉动和产业结构升级对发展中国家摆脱被“中等收入陷阱”锁定具有直接影响，经济发展往往伴随着人口结构的调整，由此带来的物质需求多样性使得消费在经济增长中起到了至关重要的作用。现阶段我国拉动内需的政策应该专注需求结构的变化即有效激励大众消费，形成长效机制（刘伟，2011；张德荣，2013），中国崛起之路在于实施国内经济大循环发展战略（贾根良，2010），拉动经济增长的动力是出口、投资、消费三驾马车，但三者顺序要做调整（成思危，2011），应将消费放在第一位。而针对东亚新兴经济体转型发展阶段的比较研究证实，成功跨越“中等收入陷阱”的国家如韩国、日本等在跨越期内产业结构的升级调整使得这些国家摒弃了粗放的要素增长模式，转而迈向资源高效利用的产业模式（Eichengreen 等，2013），这对于我国跨越“中等收入陷阱”及当前的供给侧改革都具有良好的借鉴意义，一方面，跨越“中等收入陷阱”需要我国重视创新驱动发展战略，依靠全要素生产率的提高实现向高收入水平的跨越，因为技术创新不仅是企业获得持续性竞争优势的主要来源，还是跨越

“中等收入陷阱”的主要动力，另一方面，我国应将着重点放在产业结构优化升级上，通过技术选择、技术进步和合理的资本深化，促进产业结构升级，提升劳动生产率，实现经济高速增长（黄茂兴等，2009；钱水土等，2011）。

其三，城市化进程对于跨越“中等收入陷阱”提供了良好的助力，但这一研究结论尚存争议，城市化拉动经济增长严格依赖于良好的制度和市场环境，如果这一前提条件得不到满足，过度城市化反而会给经济增长带来负面影响（代法涛，2014）。对各国经济数据的统计分析得出，成功跨越“中等收入陷阱”的经济体通过提升城市化水平，缩小了区域发展不平衡和城乡产业结构的不合理（孙永强和巫和懋，2012），这种改善不仅促进了区域间贸易的增长，还进一步作用于经济发展，达到了减贫的效果（Gerard，2012；世界银行，2014），但过度的城市化一方面会造成城市发展缺乏经济支撑，导致城市发展和产业发展争夺资源，阻碍工业化进程（马晓河，2010）；另一方面，过度城市化不但无法消除增长瓶颈，还会带来生活质量的下降（李月和邓露，2011），另外，农村劳动力的快速转移将导致一系列“城市病”，这是一些拉美国家陷入“中等收入陷阱”的原因（Philippe，2013）。

其四，政治稳定和社会安定是跨越“中等收入陷阱”的重要支撑，在此基础上谨慎选择变革方式是解决问题的关键（胡鞍钢，2010）。从总体上看，我国已进入改革攻坚期、发展关键期和社会矛盾凸显期，诱发“中等收入陷阱”的因素较多，但制度体制性因素首当其冲（平章起和李伟，2013），制度创新是破解困境、化解危机、切实推进一切创新活动的根本保障，能给经济发展带来巨大的经济收益（卢现祥和朱巧玲，2007），因此，习近平主席在2012年强调应以制度创新为着力点，构建系统完备、科学规范、运行有效的制度体系，保持制度创新的持续性和有效性。许正中（2010）从构建普惠性社会服务体系的角度提出了避免“中等收入陷阱”的对策。李实，万海远（2014）认为努力完善劳动力市场，走包容性发展之路，是保持经济社会平稳快速发展、规避“中等收入陷阱”的最佳路径选择。因为当国家从中等收入向高收入迈进的时候，靠的是创新和劳动生产率的提高，高素质的劳动力投入必不可少。

三、包容性创新促进经济增长的相关研究

相较于技术创新对经济增长的推动作用，包容性创新对于经济增长的作用更具有现实意义。首先，包容性创新是一项创新活动，强调的是通过对新技术的突破和知识的创造、获取、适应和吸收来实现经济发展（Heeks & Foster，2013），它符合技术创新作用于经济增长的一般规律，所以它对经济增长具有直接影响；其次，包容性创新的成果要直接惠及所有民众，强调经济增长的公平参与及发展成果的人人共享（Anderson & Markides，2007），这不仅最大程度上体现了和谐社会的发展要义，更是贴合"大众创业、万众创新"的经济增长方式；最后，包容性创新主要关注的领域是脱贫和减少收入不平等，研究证实，包容性创新能有效提高提高生产率，解决收入流动性陷入停滞的问题，这一问题被认为是困扰新兴经济体快速增长的关键（Ali & Zhuang，2007），中国经济目前正面临陷入"中等收入陷阱"的压力，收入差距的持续拉大是主要动因之一，包容性创新能够提升 BOP 群体的能力和收入，这将为成功跨越"中等收入陷阱"提供助力。

前人在这两类相关性方面的研究文献极少，如肯尼亚"移动支付"的创新，中低收入消费者市场的快速增长带动了技术能力发展，利益寻求者在投资、创新上发生重大转变（Chataway 等，2014），足见包容性创新对经济增长的带动作用，而其他类似研究可参考索洛 - 斯旺模型、熊彼特创新理论等对创新促进经济增长的理论分析。而包容性相关概念与"中等收入陷阱"的研究，例如，从包容性产业创新角度，提出转型阶段的中国为能跨越"中等收入陷阱"应采取的模式（高友才等，2013）；从包容性制度建设角度，认为我国应完善相关管理制度，从经济体制、分配机制着手，并改革教育体制以应对"中等收入陷阱"挑战（李中建，2012）；从基于包容性发展视角，结合东亚、拉美等中等收入国家的发展特征探讨了跨越"中等收入陷阱"的路径（高文群，2013）；从包容性增长角度，认为包容性增长的平衡发展观、公平发展观及全面发展观有助于突破"中等收入陷阱"（范洁，2012）。

综合已有国内外文献来看，现实中存在着一系列的问题制约着中国经济的发展，最亟须解决的关键点应该在不平衡发展与创新驱动上，

而包容性创新强调的“包容性”与“创新”正符合了以上两点，包容性创新强调的人人平等、人人共享创新成果将帮助我国走出“中等收入陷阱”。而将包容性创新与经济增长、“中等收入陷阱”联系起来的文章极少，本书在借鉴前人研究成果的基础上，进一步完善包容性创新指标体系，收集现有数据，用理论、数据相结合的方法得出二者的影响机制，并结合实证验证包容性创新带动经济增长，进而实现向高收入水平跨越。

第四节　研究思路及内容

本书紧紧围绕包容性创新促进经济增长影响机制研究这一主题，以2005～2013年间我国30个省域的面板数据为研究对象，运用理论与数据分析相结合的方法，探索包容性创新对经济增长的影响。具体研究思路如下：(1) 系统梳理国内外关于包容性创新、“中等收入陷阱”和两者之间作用关系方面的文献资料，提炼主要观点，对影响机制形成初步判定。(2) 深入分析包容性创新与“中等收入陷阱”的理论与现实基础，对国内外现状进行描述性分析。(3) 总结包容性创新与“中等收入陷阱”的相关国际经验，既包括成功跨越“中等收入陷阱”的典型国家的发展经验，又包括落入“中等收入陷阱”典型国家经济社会发展的主要特征和失败教训。(4) 梳理包容性创新、“中等收入陷阱”与经济增长三者之间的影响机制。(5) 构建包容性创新绩效水平评价指标体系，对地方的水平差异进行初步分析，实证研究包容性创新助推跨越“中等收入陷阱”路径的有效性。(6) 结合30个省域的发展现状和实证结果，分析原因并提出切实的对策建议，进一步得出在我国如何更好地发挥包容性创新对经济增长的促进作用。

本书研究思路如图1.1所示。

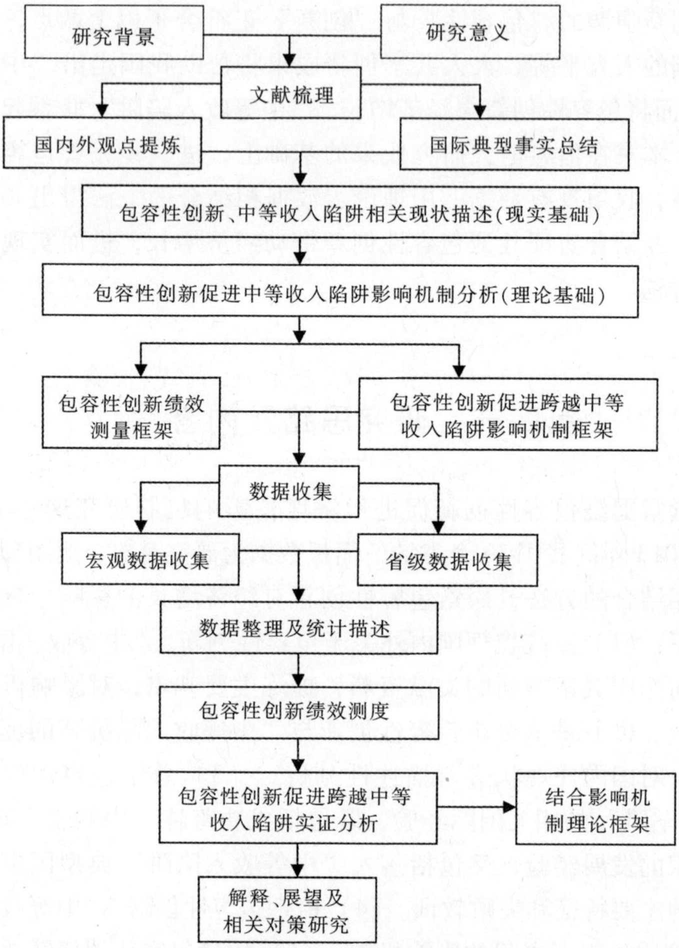

图 1.1　本书研究思路

本书主要分为以下六个章节：

第一章，绪论。介绍本书的研究背景、研究意义、国内外文献研究现状、研究思路及方法和本书可能的创新及不足之处。

第二章，包容性创新与“中等收入陷阱”的理论与现实基础。包括包容性创新与“中等收入陷阱”各自的概念与内涵总结，我国包容性创新的发展环境、现状与挑战，我国经济增长的阶段与现状以及面临“中等收入陷阱”下的危机与优势。

第三章，包容性创新与“中等收入陷阱”：国际经验。既包括成功跨越“中等收入陷阱”的典型国家的发展经验，又包括落入“中等收入陷阱”典型国家经济社会发展的主要特征和失败教训，私营企业、基金会等各类主体进行包容性创新的国际经验以及全球包容性创新面临的教训与挑战。

第四章，包容性创新促进经济增长影响机制理论。该部分首先分析包容性创新与跨越“中等收入陷阱”之间的关联机制，然后从收入分配结构、内需和产业结构三条路径细述包容性创新促进经济增长的具体机制。

第五章，包容性创新促进经济增长影响机制实证分析。构建包容性创新绩效水平评价指标体系，对地方的水平差异进行初步分析，利用2005～2013年间我国30个省份的面板数据，运用中介效应模型对包容性创新通过调整收入分配结构、扩大内需和促进产业结构升级这三种中介效应从而推动经济增长进行了实证分析，探讨包容性创新助推跨越“中等收入陷阱”路径的有效性。

第六章，结论与政策建议。以理论基础、现状分析和实证检验结果为根据得出本书的主要结论：包容性创新能够促进经济增长，其通过缩小收入差距、扩大内需、促进产业优化升级这三条路径能够最终助推我国跨越“中等收入陷阱”，这为我国广大农村贫困地区推行包容性的“创新驱动发展”战略提供了强有力的佐证。在此基础上，提出相应的对策建议推动包容性创新助推我国跨越“中等收入陷阱”。

第五节 研究方法及创新

一、研究方法

（一）理论分析与实证分析相结合

在研究前，大量收集了与本书内容相关联的国内外文献，并对其进行汇总。通过对包容性创新、“中等收入陷阱”的相关文献进行搜集，全面理解了包容性创新的概念以及“中等收入陷阱”的影响因素，对于之后包容性创新指标体系的构建以及影响机制的分析奠定了理论基础。同时，本书构建了包容性创新绩效水平评价指标体系，根据我国30个省市自治区近9年来的宏观数据构建面板数据模型，以理论分析为基础，用数据验证理论。

（二）宏观数据与微观数据相结合

政策分析既要考究宏观数据与政府设计，更要注重微观数据与个体选择。指标体系囊括多样化的宏观指标与统计数据，主要包含人口数据、基础设施数据、科技创新数据、金融市场数据、就业和投资数据、产业结构数据等。政策分析部分也采用了众多微观数据，包括家庭收入、个人教育工作情况等。

（三）描述分析与计量分析相结合

描述性研究法。本书在对影响机制进行详细分析时，提供了大量的数据与资料，通过描述性统计，并描绘图表以更直观的展示相关数据支持，充分了解相关的国内外现状，为本书提供了现实基础。同时，运用中介效应模型对包容性创新通过调整收入分配结构、扩大内需和促进产业结构升级这三种中介效应从而推动经济增长进行了实证分析。多种方法的综合运用能够让丰富的数据得以更加清晰、准确的展示和表述。

二、创新之处与不足

（一）本书的创新之处

（1）定量研究。当前对经济发展问题的研究多为定性研究，定量研究存在诸多困难。本书通过构建包容性创新绩效水平评价指标体系，对包容性创新促进经济增长的影响效应进行实证分析，丰富了包容性创新的实证研究。

（2）以往研究更多地着眼于其他角度，如收入分配等，分析对促进跨越“中等收入陷阱”的影响，本书基于包容性创新视角，探讨其对于促进跨越“中等收入陷阱”的影响机制，并运用实证的方法进行验证，这是对已有研究角度的创新。

（3）以往跨越“中等收入陷阱”基于国别数据进行研究，本书立足于省级数据层面进行分析。从可能促进跨越的因素入手，分析包容性创新通过这些因素间接影响经济增长，或者是对经济增长直接影响，从而说明包容性创新水平高的省份经济增长水平也高，只有各省份的经济增长水平都提高，才更有利于跨越“中等收入陷阱”。

（4）分全国和区域两个维度进行实证分析。本书从“精准扶贫”的视角出发，采用我国大陆地区 30 个省市 2005～2013 年间的相关数据，实证研究包容性创新助推跨越“中等收入陷阱”三条路径的有效性，进一步得出在我国如何更好地把握包容性创新对经济增长的促进作用。

（二）本书的不足之处

（1）由于包容性创新提出时间不长，对于包容性创新的指标构建还存在不完善之处，除了在维度选取上，还有农村数据查找困难问题，比如农村金融指标，只能尽可能的搜集更全面的数据来代替，数据的可信度有待提高。

（2）从研究内容看，促进跨越“中等收入陷阱”的经济增长因素还有很多，其中不乏一些与包容性创新也存在关联性的要素，后续的研究应该考虑得更为全面，才能更好地反应客观事实。

第二章　包容性创新与“中等收入陷阱”的理论与现实基础

本章主要介绍包容性创新以及“中等收入陷阱”的基础理论知识与现实状况。在包容性创新问题研究上，本书重点介绍了包容性创新的概念、内涵以及国内外发展现状。在“中等收入陷阱”问题研究上，本书将重点放在我国经济状况与国际“中等收入陷阱”经验对比上。本章的主要研究目的在于，通过了解相关研究内容的理论与现实状况，为后文的进一步分析打下基础。

第一节　概念及特征

一、包容性创新的概念、内涵与主要特征

（一）包容性创新的概念

对研究对象进行概念界定是理论展开的前提，但现有文献还没有对包容性创新进行清晰的定义和说明。“包容性”一词最早出现在联合国千年发展目标中。2007 年亚洲开发银行提出“包容性增长”概念，倡导机会平等、公平参与的增长方式，力争让普通民众最大限度地受益于经济发展成果。但在全球范畴内，仍然有 40 多亿人生活在经济和社会金字塔的底层（BOP），基本无法分享到全球化和经济发展带来的进步，甚至还要负担社会动荡与环境恶化等负面影响。2002 年，美国密歇根大学 Prahalad 教授及康奈尔大学 Hart 教授提出，这些长期被排

斥在正规市场经济体系之外的 BOP 群体实际上蕴含着巨大的商业潜能，企业可以通过创新技术和商业模式，满足金字塔底层群体的内在需求，在收获可观的经济利益的同时还可以帮助改善低收入群体的生活质量，减轻甚至根除贫困状况，创造出经济与社会的双重价值，由此，“包容性创新”一词得以诞生。

包容性创新的提出与全球化进程中经济、社会和科技进步问题的深度融合相得益彰，源于经济学、管理学与社会学等多学科的交叉与综合。结合已有包容性创新研究，本书将包容性创新概念界定为：第一，对被边缘化群体的更多关注，由低层次到高层次的包容性创新应分别包括创新的意图在于解决边缘化群体问题、创新的结果应用于边缘化群体的消费需求和生活水平提高上、创新的过程能让更多的边缘化群体参与进来以及创新的最终结果是社会结构、知识交流结构上的包容性体现；第二，区别于传统创新，包容性创新已从解决单纯的经济问题上升到同时解决社会与经济问题，而且更多的是强调一种包容性，而这种包容性不应只强调“仅仅”针对边缘化群体，应该理解为因边缘化群体处于劣势而给予了更多的关注，由此引发的一系列创新互动。

（二）包容性创新的内涵

包容性创新本身内涵有两个层次，一是“包容性”，二是“创新”。“包容性”强调可持续发展与社会稳定，将在中国社会经济转型升级关键时期发挥重要指导意义，而强调“创新”也正符合我国十八大提出的创新驱动战略。从包容性创新活动考虑，其活动形式多样，可分为包容性制度创新、技术创新、组织创新及市场创新，而包容性创新理论最初提出的“面向低收入群体的商业模式创新”被归为市场创新中。同时，由于包容性创新把创新研究从技术经济领域拓展到社会发展领域，涉及多个学科，仅从单一理论视角难以准确把握其性质及内涵，从不同角度全面理解其内涵将使后文中包容性创新评价指标体系的构建更具说服力。因此，本书结合包容性增长、BOP 战略、企业竞争优势、贫困治理、传统创新与社会创新六个理论对包容性创新的内涵加以说明：

第一，包容性创新是包容性增长概念上的延伸，但包容性创新从本质上区别于包容性增长。包容性增长追求社会、经济与生态环境的协调发展，与单纯谋求 GDP 增长相对立。强调既要借助经济增长创造就业和发展机会，又要力争实现发展机会均等化；既要维持经济的高速与持续增长，又要减少与消除机会不均，让全社会与各阶层群体共享经济利益，让所有人拥有参与的平等权与分享经济增长成果的公平合理性。包容性增长理念的发展反映了人们对贫困的认知从收入层面到能力层面再到权力层面的深化过程，不单限于低收入状态和物质匮乏，也包含公平参与机会的缺失和能力低下。处于市场经济主体地位的企业，创新是其经济获得持续增长的核心动力，因此，为贫困群体创造公平的市场参与渠道、提升其在市场中的获益能力也是企业创新的重要内容。而包容性创新则继承了包容性增长的“包容性”理念，侧重强调市场微观主体的创新行为与政府宏观政策制度的配合，可以这样理解，包容性创新是一种手段，而包容性增长是要达到的目的，包容性创新是实现包容性增长的核心驱动力。

第二，BOP 战略将大规模的贫困群体看作一个蕴含巨大商业潜能的待开发的新兴市场，要求企业从全新视角着手应对可持续发展的挑战，研究如何在避免对自然、社会环境带来负外部性的前提下开发出能够被贫困群体接受的高层次产品与服务，而不单是把已有产品和服务发售至更远的市场。企业对 BOP 战略的关注持续上涨，并逐步汇成一股把 BOP 市场当成再创业和业务发展引擎的浪潮，通过一连串变革和创新，既可以获取优厚的市场回报，又能够满足低收入群体消费和发展的需求乃至改进 BOP 群体的整体福利。在这个层面上，包容性创新是企业和贫困群体进行价值共创与分享的过程，低收入群体告别消极被动的受助者角色，主动争取创新资源，积极参与市场竞争，成为市场竞争的重要参与者。

第三，包容性创新并非源于企业社会责任感和慈善动机，而是企业构建长久竞争优势的战略工具和行为。伴随全球范畴内中高端市场愈加激烈的竞争，企业面临的市场成长空间日趋饱和，而一直被排斥在主流市场之外未被充分开发的金字塔底层群体能为企业的跨越式增长创造新的可能。对于企业而言，针对低收入群体需求进行产品的包容性创新和提供，能使企业收入增加；对于低收入群体而言，包容性创新使低收入群体生活质量得到提高，包括分享创新成果带来的就业人数增加、收入水平提高、生活保障水平提升等。但是，BOP 市场传统资源的短缺、较低的支付能力、简陋的环境以及大批非传统市场参与者的存在等状况给企业运营带来诸多挑战，企业只有彻底粉碎业已形成的市场逻辑和架构，重新构建新的模式和战略才能成功占领 BOP 市场。因此，针对在中高端市场处于停滞状态或难以获得关键性突破的企业，抢占 BOP 市场是其摆脱当前困境并赢得全新发展的重要契机，推动企业努力学习和积累新的资源与能力并建立新的竞争优势。这种基于盈利与发展的战略动机，不仅符合企业追求利润和高效配置资源的本质特征，还有助于保证包容性创新效率提升和整体经济发展的可持续性。

第四，包容性创新能够改善 BOP 群体收入、能力和权利层面的贫困。21 世纪贫困问题仍然是困扰世界各国的主要问题，目前很多国家的贫富悬殊问题非常突出，严重影响居民生活质量的改善，而包容性创新有助于解决贫困问题。通过提供平等参与市场的机会，低收入群体转变为有价值的消费者、生产者和创业者，包容性创新根据其不同角色有针对性地进行创新。消费者导向的包容性创新主要从交通、通信、金融、教育与营养等领域着手，提供低收入群体可接受的产品和服务，提高其生活质量和综合素质；生产者导向的包容性创新致力于扫清贫困生产者的生产性和交易性阻碍，由此提高生产力和生产者的市场认知水平；创业者导向的包容性创新重在帮助创业者塑造金字塔底层的创新精神和创业意向，增加创业成功机会。不同类别的包容性创新对低收入群体的经济改观、能力晋升和权利平等等方面都存在积极作用，能有效缓解和减少各种形式的贫困。

第五，包容性创新与传统创新进行比较，一是包容性创新更关注被边缘化人群、低收入群体的需求，更多地考虑社会责任的实现，强调创新成果的大众普惠性；二是考虑到低收入群体的可负担性和经济上的可接受性，包容性创新过程更注重“节俭型创新”，更专注于创造面向中低收入消费者的新产品，真正实现“用更少、为更多”，其核心理念是面向更多的人创造更多的价廉物美的产品和服务；三是参与性更强，包容性创新更强调企业、政府、研究机构、NGO 组织以及低收入群体本身在创新过程中的合作、沟通与交流，共同提升创新能力；四是创新结果可持续性，考虑到 BOP 市场的脆弱性，创新结果应符合经济、社会和生态环境协调可持续发展。

第六，包容性创新兼具社会创新的部分职能。包容性创新不仅能改善贫困群体的收入状况，也有助于贫困群体聚集地区的经济发展，显著优化区域经济社会发展的失衡情况，在创造社会价值的同时也有助于社会问题的解决。但是，两者也存在区别。一方面，从对象范围上看，包容性创新关注的是 BOP 群体，创新的社会价值主要表现为减少贫困，而社会创新的范畴更加宽泛，包含所有推进社会变迁的新的方式方法。另一方面，从性质上看，包容性创新在微观层面而言属于商业创新，强调以企业为主体通过市场化方式为 BOP 群体服务，在企业盈利的同时改善区域贫困状况。而社会创新的驱动者以慈善基金会等非营利组织为主，不关注盈利，专注于解决社会问题。采用的方法包含社会、政治与法律手段等，而不仅仅局限于经济手段。

（三）包容性创新的主要特征

第一，创新领域的丰富性。包容性创新已涉足消费品、医疗健康、金融服务、教育公用设施和信息技术等多个领域，一定程度上能满足低收入群体不同层次的需求。一是生存类需求，例如提高食品营养价值、改善饮用水质量和医疗条件等；二是生活类需求，例如很多中高端商品都开始针对低收入群体推出相应的产品和服务，有效提高贫困群体的生活水平；三是生产性需求，通过提高低收入群体的生产能力和效率帮助其赚取更多的收入，包括农业机械、交通通信、金融业务等方面的创新；四是精神性需求，如社交网络的推广使用、教育资源向边远山区倾斜等，都是包容性创新广泛应用的表现。

第二，创新主体的草根性。包容性创新参与者主要有跨国公司、本土企业与个体创新者三类，参与性更强，更强调企业、政府、研究机构、NGO 组织以及低收入群体本身在创新过程中的合作、沟通与交流，共同提升创新能力。其中个体创新者不仅包含高校、科研院所中的研究者或其他对 BOP 市场感兴趣的个体，还将广大低收入人群即草根群体纳入进来。这也是包容性创新与其他类型创新的不同之处。跨国公司具备高超的研发水平，但缺乏对 BOP 市场的深入了解，主要通过整合全球和本土资源进行产品研发；本土企业基于对本地市场需求的高度认知，致力于开发设计出与BOP群体和环境条件契合的产品和服务，从而累积创新能力并培育差别化的竞争优势；草根创新者在自身需求的基础上进行针对性创新，创新活动成功概率更高。但目前低收入群体很难从外部获得资源支持，存在一定局限。

第三，创新成本的低廉性。由于低收入群体自身资源相对缺乏，往往不会购买价格昂贵的产品或服务，也不会参与高成本的创新活动。因此，包容性创新提供给贫困群体的产品与服务在保证基本质量与原有功能的基础上，价格相对低廉。政府的援助也为其实现低成本创造了有力支持，如政府持续健全基础设施网帮助创新产品更方便快速地运达贫困地区；进一步强化知识产权保护、完善监督体系，以此降低包容性创新过程中的交易成本和违约风险等；国有银行努力降低信贷门槛、提高贷款额度以及附加必要宽限期等为包容性创新企业提供更强有力的资金支持。

第四，创新形式的多样性。由于贫困群体聚集区相对集中，特定区域赖以生存的宗教信仰、文化传统及其他社会因素会带来不同性质与不同类型的障碍和约束，会造成区域内的低收入群体对于产品和服务的需求趋于多样化，需要多种类型的创新才能加以应对和克服。因此，包容性创新不仅限于研发新产品和新服务，还包括创造、调整与变革市场策略、制度和组织等。制度创新主要致力于弥补正式制度的匮乏，构建有效的交易治理体制；组织创新强调突破原有结构的束缚，广泛调动与配置组织内外部资源；市场策略创新则从创新低成本这一特征出发，致力于打破传统的市场策略。各种形式的创新互相补充和促进，合力发挥作用推动多元价值的创造与共享。

第五，创新结果的可持续性。考虑到包容性创新要达成低价格与高质量的双重目标，因此主要采用节俭式创新模式，在满足用户核心需求的同时采用高效率的技术或方法以提高资源使用率，具有资源节约型、环境友好型创新特性。同时，社会与生态环境是金字塔底端市场赖以为生的基础，低收入群体的生产、消费和交易活动都和当地的社会规范、生态平衡密不可分，在相对封闭的地理区域表现愈加明显，因此，考虑到创新活动对一地经济、社会和自然环境的多重影响，有必要在设计创新方案时进行全面评估，规避负外部性的产生。此外，包容性创新把低收入群体与广阔的主流市场有效联系起来，给贫困群体创造了公平参与市场和共享发展成果的机会。

二、"中等收入陷阱"的概念、内涵与主要特征

（一）"中等收入陷阱"的概念

经济学中的"陷阱"是指经济长期处于一种均衡与不发展状态，而且是高度稳定的，或即使偶然受到外力的冲击，改变了原有的均衡，但由于内在经济体制的缺陷而回到原均衡位置上，使得经济体长期处于同一状态，难以实现真正的发展。"收入陷阱"是在某些推动人均收入提升的要素起作用以后，鉴于此类要素存在某种程度的不可持续性，且会有其他制约因素抵消原有作用，导致人均收入增长停滞。由此可知，经济增长的动力机制在不同经济发展阶段也是有差异的，在某一阶段有效推动经济增长的动力要素到另一阶段很可能失效。随着社会的经济重心转移，农业社会演化出低收入陷阱状态，而之后的工业化和后工业化两个发展阶段则分别出现了中等收入与高收入陷阱概念。马尔萨斯于1789年依据边际收入递减规律提出的"贫困陷阱"即最初的低收入陷阱，也是一种贫困的恶性循环。"中等收入陷阱"的概念最早于2006年由世界银行在《东亚经济发展报告》中提出，意指发展中国家在经济发展过程中面临重重阻力，特别是各国长期依赖的从低收入水平上升为中等收入水平的战略，不能重复用于向高收入水平的攀升，由此导致过程中可能失去发展动力，人均国民收入难以突破10000美元的上限，从而陷入长期经济停滞。法塔斯和米霍夫于2009年提出了"收入高墙"概念，即高收入陷阱，也是在达到或接近高收入经济发展水平时，后发优势逐渐丧失导致的经济实际增长率回落，打破的关键在于"创新"。

从国际案例来看，一些经济体在成功跨越贫困阶段达到中等收入水平以后，并不必然迈入高收入水平国家行列，甚至可能面对经济优势丧失、经济停滞甚至社会动荡的局势。由此看来，"中等收入陷阱"是指当经济体跳出低收入陷阱后，此时主要的矛盾已不单单是产出无法满足人口的扩张，诸如经济体制转换不及时、产业结构升级受阻、

社会问题频发等问题出现，一国长期徘徊在中等收入区间或陷入增长与回落的循环之中，或在较长时期增长缓慢甚至停滞的状态。而国际上对于跨越“中等收入陷阱”的普遍衡量标准是人均 GDP 是否达到且长期处于 10000 美元以上，若出现短期的超过而又回落则也不认为其实现了跨越。

（二）“中等收入陷阱”的内涵

世界研究机构与学术界对于“中等收入陷阱”的见解众说纷纭，观点不一。本书结合经济增长、经济发展、产业升级和比较优势理论对“中等收入陷阱”的内涵进行深入探讨。

第一，经济增长理论。从经济增长理论的视角出发，“中等收入陷阱”出现的主要原因在于当一个国家从低收入国家迈入中等收入国家后，会导致劳动力成本上升，但与此同时，技术创新并未得到显著发展。低收入水平阶段，通过引进国外先进技术把本国劳动力转移到高生产率部门，人均收入获得短期内的大幅提升，国家依靠低廉的劳动力和较高的资本积累获得快速发展。但是进入中等收入国家行列后，劳动力供求相对紧张，该国家在出口市场中既不能在制造业上与低收入、低工资的国家竞争，又不能在高技术创新产品上与发达国家竞争，出口竞争力下降，从产业调整和技术追赶中获得的生产力提升消失，这样就会带来经济增速的下降甚至经济的倒退，导致该国家不能发展为高收入国家。

第二，经济发展理论。一国即使在顺利越过低收入水平阶段之后，依然有可能长期徘徊在中等收入水平区间上，甚至存在人均收入下滑的风险，这一定义明确把“中等收入陷阱”归入发展经济学范畴。从经济发展阶段角度分析，国家发展一般都要经历三阶段：一是要素驱动的经济起飞阶段，主要依赖于“后发优势”和“对外开放优势”推动国家经济从低收入上升到下中等或中等收入水平。二是效率驱动的经济社会转型期，主要依赖于人力资本的积累和投资、市场机制的充分发挥使一国经济从下中等收入提升到中上等收入阶段，这一阶段存在三种可能性：转型成功则顺利迈进上中等收入；转型不成功面临经济停滞；转型失败，跌入“中等收入陷阱”。三是知识和科技创新驱动的高收入阶段，生产要素高度集聚，人与自然和谐共处。

第三，产业升级理论。产业空间密集度和企业创新能力不足被认为是形成“中等收入陷阱”的主要原因之一。一国生产和出口的产品决定其在世界经济发展中地位，经济发展路径与该国参与的经济活动类型、选择和发展的产业密切相关。产品空间中存在升级的目标产品，企业具有新产品的自主研发能力是国家产业升级的充分必要条件。而新产品的生产成本增速快于价格增速则是必要条件。在中等收入水平，产业升级的必要条件常常较易实现，但会造成企业创新跳跃的能力不足，从而加大产业升级断档、经济增长停滞的风险，导致一国经济增长不可持续，更难以通过向全球价值链高端的转移而实现产业升级，进而陷入“中等收入陷阱”。因此，中等收入国家在选择出口导向发展战略的同时，应积极实施高强度且可持续的科技进步战略，将经济剩余转向科技进步和产业升级，从而实现经济结构的成功转换，在全球价值链上不断升级。

第四，比较优势理论。上中等收入行列国家得益于科技创新前沿最新研发成果的共享，在资本和技术密集型产业上存在竞争优势，因此能从全球化进程中普遍受益；而低收入水平国家，凭借丰富且低成本的人力资源，大力发展劳动力密集型等优势产业，也是世界贸易的获益者。但处于中等收入水平的发展中国家，两类比较优势都不明显，难以在全球化进程中占据有利地位。同时，因为规模经济的缺失，中等收入国家必须全力维持其高增长率，而鉴于单纯的资本积累会受到资本边际报酬递减的约束，基于生产要素积累的发展策略可能会带来持续恶化的不良结果。金融危机之后，我国建立在劳动力、土地等要素禀赋基础上的比较优势加速衰减态势凸显，比较优势理论对中等收入国家指导上的阶段性和局限性也日益显露。在经济全球化时代，开放体系下的经济发展应以自主创新为内生动力，着力培育长期竞争优势，才能为跨越“中等收入陷阱”提供助力。

（三）“中等收入陷阱”的主要特征

落入“中等收入陷阱”的经济体一般具备以下主要特征：既要承受低成本竞争优势的丧失，难以继续与低收入、低工资经济体在制造业方面进行抗衡，也缺乏与发达经济体在高科技创新领域展开竞争的能力，无法从依靠廉价劳动力或能源资源类自然禀赋向依靠高生产率、创新驱动的经济发展模式转变。具体表现如下：

第一，经济增长不稳定。落入“中等收入陷阱”的国家或地区，经济增长缺乏新动力，经济水平波动大，即使偶尔出现高增长，也难以维系。据联合国统计，阿根廷1963～2013年间有17年人均GDP为负增长，12年GDP为负增长。而2001～2013年间墨西哥GDP有3年出现负增长。泰国1996年人均GDP已经达到3000美元，而之后却出现下降，十年期间一直徘徊在2000～2500美元之间。印尼1870～1980年GDP年均增速为8%，1981～1990年、1991～2000年、2001～2014年分别为5.5%、4.4%、5.65%，2015年GDP增速更是降至近五年间最低水平，仅为5%。菲律宾1970～1980年间GDP年均增速为6.6%，2015年GDP增速为5.8%，近6年年均增速6.2%，已是1978年以来最佳水平。

第二，贫富差距悬殊。已有经验证据表明，在经济增长及至收入增长停滞的条件下，收入差距往往进一步恶化。联合国一项研究报告提出，拉美地区的收入差距进一步拉大，富裕程度前20%的群体平均收入是末20%群体的20倍。基尼系数方面，拉丁美洲地区均高于0.45，巴西、玻利维亚则达到0.62，大大超过经合组织国家0.35的平均值。陷入“中等收入陷阱”的其他地区的经济体也同样面临贫富差距悬殊的问题。20世纪90年代中国基尼系数介于0.33－0.45之间，进入21世纪以后始终保持在0.46－0.5的区间，2015年基尼系数为0.462，为近12年以来最低，但整体系数仍然很高。收入差距过大，贫富悬殊严重到某种限度且没有有效政策手段予以制止，不但会导致国内市场消费不足，还容易激化社会矛盾，造成社会不稳定和社会凝聚力降低，不利于经济社会可持续发展。

第三，金融体系脆弱。金融市场配置经济发展最核心的资源，提高资源配置整体效率，防范系统性风险是所有金融市场、金融改革最核心的话题。大多数陷入“中等收入陷阱”的国家均存在金融体系脆弱的问题，对外部资源依赖较大，易受国际市场波动的影响。现代金融体系的脆弱性和信用扩张程度息息相关。而全球金融危机基本都与信用过度扩张有关，只是在不同的市场、国家或地区呈现的表现形式存在区别。2008年美国金融危机是银行信贷过度扩张导致房地产泡沫，并通过金融衍生工具的杠杆化无限放大使信用扩张到极致的结果。2012年欧洲主权债务危机主要源于国家债务信用过度扩张。处在中等收入水平的中国，也把信用扩张当作经济增长的一项工具。尽管目前信用过度扩张还没有引发国内金融危机，但它所带来的房地产泡沫、商业银行不良贷款等问题和风险也是不可忽视的。

第四，城市化率超前。联合国2011年版《世界城市展望》报告指出：2050年世界城市化率预计将突破70%，意味着2010～2050年四十年中城市将新增23亿人口，这其中亚洲、非洲地区的城市化发展进程将最为突出。历史经验表明，工业化进程中，工业化水平和城市化水平保持一致加速状态；工业化后期乃至后工业化时代，工业化水平逐渐下降，城市化进程逐步减速，但此时城市化水平已经位于较高层次。城市化能带来集聚效应，有助于技术创新和经济增长。但是高速城市化进程会给城市带来严重的交通负荷、环境压力、住房紧张、贫富差距拉大等问题。陷入“中等收入陷阱”的国家，普遍城市化水平偏高而工业化水平滞后。超前城市化导致的最直接的结果是贫民窟的出现与社会问题的激增，加剧转型升级的难度。

第五，创新能力不足。大多数国家或地区最初的快速经济增长的实现都依赖于短期内大量的投入和产出，但是劳动力和资源的供给有限，同时还存在激烈的市场竞争。进入中等收入水平行列后，这些国家在低端市场失去低成本优势，原有市场份额被新兴国家挤占，而中高端市场受科研水平与人力资源的制约，也难以抗衡发达国家，因此陷入上下挤压的艰难处境。纵观全球深陷“中等收入陷阱”的国家，经济发展过度依赖资源开发，忽视资源开发效率和环境保护，单纯依靠生产要素投入和扩张来实现经济发展，一旦资源枯竭或遭遇破坏性开采，经济发展动力不足；同时，技术创新不足，处于模仿学习阶段，又缺乏创新能力，从而技术方面难以同发达国家竞争。在此背景下，处于中等收入的国家相比其他发展中国家及发达国家均缺乏竞争优势，从而容易出现经济低速增长的问题，经济发展速度回落或停滞。

第六，公共服务短缺。落入“中等收入陷阱”的国家或地区，居民日益增长的公共服务需求与政府落后的基本公共服务供给之间的矛盾日益突出。对于我国而言，虽然近年来政府也一直致力于提高公共服务能力，保障民生福祉，但是仍然存在大量问题。受制度缺失、资金匮乏以及管理不善等因素影响，相应的城市配套基础设施以及就业机会等没有及时跟进。而不同类型的公共资源配置方式，会导致公共服务效果上的区别。近年来，随着政府简政放权步伐的加快，采用市场化手段配置公共服务日臻成熟。但仍有一些和民生状况联系紧密的公共资源，尚未充分借力市场化。民生短缺存在的结构性失衡问题，与地理范畴有关，更要联系不同群体对于公共资源需求的多元化来分析。

第二节 包容性创新的现状及问题

一、中国包容性创新的发展环境

第一，包容性创新离不开政府的支持。改革开放以来，政府就采取了一系列政策措施来解决收入差距过大问题，通过扶贫开发计划、西部大开发、东北老工业基地振兴等减少贫困；扩大政府在基本公共服务方面的支出，如扩大社会福利范围、优化医疗环境、提高社会保障水平。中国政府充分认识到解决收入差距的迫切性，原有片面“追求经济增长”目标已经在“十二五”规划中转变为“使发展成果惠及全体人民”。但现有政府不管是在服务规模、质量还是效率上都未能满足社会底层人民的需求。

第二，中国拥有相对完善的基础设施和信息通信技术（ICT）设施。基础设施直接决定着经济活动的效率和经济效益，同时也影响着每个经济体的投资环境。企业在 BOP 市场发展，如果基础设施匮乏，企业家也不会愿意耗费大量资源和管理成本来完善。目前中国在能源、通信、铁路、高铁、公路、港口、机场、口岸等各个领域的建设取得了明显成果，在高铁、机场等许多领域都已处于世界先进水平，甚至超越了发达经济体，基础设施的改善会带来经济与社会发展的良性循环，中国遍布全国的完善的基础设施和信息通信技术（ICT）设施给包容性创新的发展打下了良好基础，各地政府所修建的基础设施为 BOP

商业开发创造了硬件条件，例如，村庄通路、农村通电、电视电话、互联网等。

第三，中国已有发达的国家级创新体系。国家创新体系是社会经济与可持续发展的引擎和基础，目前，我国基本形成了政府、企业、科研院所及高校、技术创新支撑服务体系四角相倚的创新体系，我国科技体制改革紧紧围绕促进科技与经济结合，以加强科技创新、促进科技成果转化和产业化为目标，以调整结构、转换机制为重点，取得了重要突破和实质性进展。这些机构和组织以前所未有的规模和超常的速度发展，由此开发出的科技创新成果也同样可以运用到包容性创新上来，在国家层面的创新体系成果层出不穷。中国凭借自身综合性国家创新体系，领先于金砖国家，并将下一个赶超目标锁定在 OECD 国家，一些科技发展配套机构也随之发展起来。

第四，中国的私营部门拥有较强的产品制造能力，并且积极融入国家创新体系，为包容性创新提供强大的主体支持。包容性创新因场地限制，必须突破大规模、复杂化、密集自动化生产等要求限制，中国以其强大的制造能力以及劳动力优势，在生产能够满足低收入人群消费需求以及消费能力产品上已经具备相当的实力。现已有越来越多的私企选择进军 BOP 市场，例如金融领域的宜信公司、家电行业的海尔公司以及能源领域的清华阳光公司。

第五，BOP 市场拥有基数大且处于持续扩张中的购买力基础。中国的低收入人群总量居世界经济体第二位，约占全球的 13%，且主要集中在农村，当然，农民工在此占有相当大的比重，因为他们无法同打工所在地的居民一样享受到一些政策福利。随着人民生活水平日益提高，消费也随之增加，农村居民的消费支出中食品支出份额也在同比下降，因此，BOP 市场确实拥有能支撑相关行业快速成长的利润空间。

第六，非均衡的区域经济结构，既是我国现代化水平低的表现，也是支持我国更持续地保持高速增长的因素。我国地区间经济发展差距的客观存在，使我国经济发展的主要地区推动力呈现梯度状态，从而为经济持续高速增长提供动力。随着西部大开发的深入和中部崛起的加速，即使东部沿海地区进入增长速度逐渐放慢的增长拐点，西部和中部却可能成为高速增长的后续支撑。此外，中国地域广阔，各地资源禀赋差异性很高，消费需求呈现明显的多层次性和互补性，通过努力培育和发展“增长极”，扩大极化效应，能够提高我国区域经济结构性效益，不仅能提高经济增长的效率，还有助于提升高速经济增长的可持续性。

二、中国包容性创新项目与发展现状

包容性创新主体有企业、政府、NGO、研究机构以及低收入群体五类，并且在现阶段，这五类主体已经开始实行一系列包容性创新项目。

首先，政府项目已经实行的包括有1986年的星火计划（该计划旨在通过科学技术促进农村与农业发展）、1990年后乡村医院和诊所开展的相关医疗项目、21世纪远程教育和医疗项目进入农村等，并且随着构建和谐社会口号的提出，政府的更多工作开始致力于对弱势群体的包容性创新项目，如“十一五”规划中污水处理、能源等生态环境项目，“十二五”期间优先发展与包容性创新相关的项目，包括农业技术应用与普及、开发全国卫生信息技术系统等。在资金方面，政府调拨公共资金为基础研究、商业模式创新等包容性创新活动提供资金支持，如2010年政府为深圳先进技术研究院提供至少2亿元资金，支持其生物、医疗和健康工程部门开展低成本医疗服务研究。为了获得更多资金支持，政府吸引私人投资参与某些领域的开发，如在2010年，农业产业投资基金分别从中央、地方以及银行和私营中小企业共吸纳资金近34亿元。给予财政政策优惠来引导私营部门进入BOP市场，如2007年的家电下乡政策，农村居民购买家电，政府为其提供价格上13%的补贴，这些举动推动了包容性创新产业向农村市场进军。政府与地方企业合作推动包容性创新项目实施，如2004年由工信部和农业部联合启动的农村信息网络平台项目，该项目不仅为农村提供信息技术服务，也在项目实施五年后实现盈利。政府协调企业和高校之间的合作，鼓励专家、教授、研究者、博士前往农村，在农村建立科技园区等。此外，政府一些采购措施也间接支持了包容性创新发展，如对乡村诊所诊断床以及乡村中小学教室的低成本龙芯电脑采购。

其次，高校和研究机构在支持包容性创新中也发挥了重要作用，研究机构拥有强大的科研能力，为包容性创新提供技术支持，中科院下属30余家研究机构就参加了医疗设备和健康服务研究，特别是深圳先进技术研究院、苏州生物医学工程技术研究所、上海高等研究院。国家自然科学基金（NSFC）、国家社会科学基金以及教育部先后启动了鼓励和支持包容性创新项目研究计划，为其提供资金保障，高校和研究机构因此从包容性创新研究中获益，深圳先进技术研究院就因致力于包容性创新研究获得了良好声誉。在这些研究机构的支持下，中国已拥有广覆盖面的农村研究体系，致力于开发新农作物品种，如超级杂交稻等。高校和研究机构还通过与企业合作，包括产学研相结合下的一些衍生企业，如清华阳光能源开发公司、深圳先进技术研究所等。

再次，私营部门的包容性创新项目发挥着推动中国包容性创新发展的作用。私营部门的行动形式包括：一是利用创新提供专为BOP群体设计的产品。可以为BOP市场设计新产品、创造包容性商业模式，例如电动自行车中电池被用作替代传统摩托车引擎、海尔公司发明廉价洗衣机、金风科技为农民提供小型的离网风力发电机。二是利用当地资源提高地方能力。例如，中国的太阳能热水器的销售，选择利用当地信息传播媒介以获得一手信息，从而使经营更加高效与低成本；南京九康生物科技发展公司培育一种能生长在高海拔地区的新型楝树，公司采用“企业+农户”的方式，向当地农民提供外包；舜华鸭业发展有限公司在此基础上还加入“协会”的帮扶作用开展鸭子饲养。三是利用创新克服基础设施不完善和其他阻碍。如海尔公司基于农村电压问题开发出不受其限制的宽电压带家用电器、皇明太阳能公司通过提供免费的太阳能知识培训，无形之中使得潜在需求扩大。四是机构联合，共同解决包容性创新难题。不同机构同担成本、共享知识、互补空缺，例如深圳中科强华科技有限公司和深圳先进技术研究院，中科强华负责生产阶段与商业模式创新，研究院负责基础与应用研发。

最后，草根阶层的创新是中国包容性创新的重要来源之一，草根创新具有领域覆盖广的特性，农业、医疗、交通、家庭设施等方面都有所涉及。草根创新指非正规部门的创新，如农民、学生、退休工人、企业家等所做出的发明创造，这一类人因其大部分本就生活在社会基层，所以其创新灵感就来源于解决穷人的特殊需求而非商业化发展。许多草根创新都属于增量创新，即在现有产品上的改造，每一个创新都是次优的，但汇总起来就会产生化学反应，例如黄土高原的雨水收集系统，便是对传统雨水收集方法的再开发，许多发明者将某一领域的公理应用到另一领域中，如人工驱动自行车发电等。合作性草根创新，如农民研究会，也在包容性创新中起到一定推动发展作用。政府在推广草根创新中发挥了重要的引导与支持作用，农业部和科技部各自创立了技术创新项目、中国科协联合地方政府举办全国发明展览会等方式为包容性创新提供了资金支持和精神支持；媒体在草根创新中也发挥了重要的宣传作用，例如中央一台“致富经”栏目。草根创新的技术创新和组织创新项目活动共同推动了包容性创新发展。

三、影响包容性创新发展的关键问题

尽管中国的包容性创新已有所发展，且越来越受到人们的重视，但仍存在一些关键问题和挑战制约着包容性创新发展。

第一，面临极难克服的需求结构调整困境。一方面，从国际形势看，金融危机爆发后，世界经济结构深度调整，国际正常的供求关系和生产消费循环被打乱，去杠杆化使得美欧等发达国家改变高负债的消费方式，劳动密集型产品进口减少，给我国劳动密集型产业的发展带来巨大压力。另一方面，全球市场还在发生两个深度变化：一是美欧日等发达经济体正大力支持本国发展新能源、生物、航空航天等产业，鼓励增加高技术产品出口；二是越南、印度等发展中国家利用比我国更低廉的资源和劳动成本，积极发展劳动密集型产业，大力抢占我国出口市场。面对美欧国家高端产业“挤压”和新兴发展中国家低端产业“挤出”效应，我国需求结构调整迫在眉睫。

第二，在制度性和政策性框架上，中国还缺少明确的包容性创新政策和战略。已出台的相关政策缺少资金、财政配套政策等针对性激励措施，使得已有的包容性创新策略无法发挥其潜力；私营部门与其他各方参与力度有限，无法达到“开展并向大众传递”的作用，相当一部分已实施的计划仍处于不集中、无组织状态；在政府机构中职能

分工不明确，出现大量重叠或者空缺，政府层级结构亟需建立一种有效的协调机制。另外，包容性创新缺乏高级别的领军机构，应从国家层面入手，以实现对包容性创新的引导、计划、支撑和管理。科技政策与扶贫政策目标相背离导致科研机构和扶贫机构之间合作的松散，政府应在满足国家需求前提下出台协调一致的包容性创新战略，合理分配不同部门的任务，并且与相应目标群体匹配。

第三，政府政策和项目执行效果不佳。政府项目的开展过程中，其他各方很难参与进来，包容性创新政策的决策权在政府，而政府对BOP市场的认识有所欠缺，由此得出的战略方针也缺乏可行性；政府的侧重点不在于营造适宜科研发展的氛围与环境以及激发各方参与的积极性上，而在于产品和服务上，这使得政府难以吸收中小型私企的先进经验与资金支持，风险承担能力仍停留在原有水平；监管体系和评估体系仍不完善，尤其是政府主导性项目，官方口径强调投入而非产出、项目受益人定义模糊、福利提高不在评估范围内等问题亟待解决。此外，政府对草根创新支持力度不大，专门支持草根创新的政府资金少之又少，且在项目申请过程中，草根创新者难以在与正规领域研究者的较量中占取优势，大部分草根创新只适合小范围的使用，而且制作流程缺乏正规约束。

第四，私营部门行动覆盖面有限，可持续性未知。中国私营部门的包容性创新往往较政府机构效率更高，但却因资源可得性限制、地区性制约影响到其产品优化与商业发展，在覆盖面、推广力和可持续性上仍有待加强。如果企业等私营部门把广大低收入阶层作为新兴市场进行探索，不仅可以获得足够的经济回报，还能提高穷人生活质量，缓解和消除贫困，这需要政府在制度层面给予更多的支持。例如，宜信公司的P2P微小信贷只应用于个别村庄，深圳先进技术研究院和中科强华的低成本医疗设备只覆盖全国50万个村庄中的1000个。

第五，高校和研究机构仍需引导和激励。中国大部分研发机构只关注经济热点与前沿问题，而很少关注包容性创新项目；另外，尽管在一些研发机构中“实用技术”已被列入对教授的考核体系，但当前评估体系仍强调论文发表数量与其期刊影响因子上，包容性创新难以与现在的评估体系相匹配；包容性创新的技术转移和产品商业化仍发展缓慢，例如太阳能热水器在被发明出来之后20年才在农村推广开来，低成本医疗设备商业化尚未开始，包容性创新的作用和责任应上升到研究院所的战略性目标层次上。

第六，监督和体制性障碍的存在，阻碍了包容性创新的研发和实施。目前，我国许多监管措施制约了包容性创新融入私企，比如阿里巴巴、宜信无法获得银行监管机构的支持；私营部门缺少与国有企业相抗衡的政策支持，如个人便携电话系统（PHS）最终被4G技术取代；成本越低越被认为质量不高，而政府却对这类产品采取打压政策，而非引导它们在应用现有技术手段上相应提高产品质量，如山寨手机和电动自行车；知识产权的缺失、申请过程繁琐、专利申请费用过高使得草根创新无法受到法律保护，积极性大打折扣。

第七，包容性创新前期融资困难，中国的风投机构热衷于将资金投放在处于快速成长期和扩张期的企业，近年来中国风投也只是加大对类似信息技术、电力、机械制造等高新行业的支持，却对满足BOP群体需求的农业、医疗、教育行业鲜有投资，国有风投基金集中投放在公共领域而非包容性创新企业。另外，包容性创新领域的国际合作十分罕见，虽然目前有一些国际性合作先例，如比尔—梅琳达盖茨基金会，向中国制药集团捐资开发一种低成本的脊髓灰质炎疫苗，复星医药集团的药品出口非洲，但仍需加大合作力度。我国应坚持科学和可持续的包容性创新之道，鼓励企业进一步“走出去”，与各方加强交流、通力合作，共同应对全球因人口增长而面临的粮食、能源和生态环境方面的迫切挑战。

第三节 跨越“中等收入陷阱”：机遇与挑战

一、我国经济增长发展阶段的回顾与现状

（一）我国经济增长的阶段

通过对经济增长理论的研究，可以发现经济增长的两个基本发生条件，一是生产要素量的投入增加，二是生产要素使用率提高。包容

性创新包括包容性技术创新、包容性市场创新、包容性制度创新以及包容性组织创新，这些创新方式将从提高要素生产率这一方面带动经济增长。1978 年改革开放以来，中国从人均 GDP 仅为 183 美元到 2001 年的 1041 美元，此时中国已从低收入阶段上升到了中下等收入阶段，2010 年更是超过 4000 美元迈入了中上等收入行列。

在不同的收入水平阶段，中国呈现出不同的经济增长动力机制。第一阶段是跨越低收入水平阶段，在 1978 ~ 2000 年间，此阶段经济增长的动力来源于市场变革，此间中国开始明晰产权，引入市场等价交换，以家庭联产承包责任制调动计划经济体制下被挫伤的劳动者生产积极性，并且经过无数次探索，在 1992 年建立起社会主义市场经济体制，使得市场“无形的手”逐渐取代政府“有形的手”，市场的原始爆发力推动中国跨入中等收入水平。第二阶段是实现中低收入水平的阶段，在这一阶段各类生产要素发挥了重要作用，即 2000 ~ 2010 年间，利用比较优势，以要素投入拉动经济增长，中国则充分发挥其在人力资本和自然资源方面的优势，尽管这段时间是粗放型增长，但也成功地带动中国步入中上等收入国家行列。第三阶段从 2011 年开始，一直延续至今，中国经济增长从单纯依靠生产要素增长向“效率驱动”“创新驱动”转型：一是均衡出口、投资、消费“三驾马车”在经济增长中的比重；二是向集约型增长转型；三是明确创新的主导地位。知识与技术的创新为经济增长提供了源源不断的动力，技术水平高的地区，经济水平也同样处在较高水平，这是新经济增长理论的主要论点。由此可以看出，依靠科学技术创新提高综合国力，走创新经济发展道路，将是跨越“中等收入陷阱”的主要实现路径。

（二）我国经济增长的现状

我国在经过三十多年的持续高速增长后，“十三五”时期（2015 ~ 2020 年）经济社会发展进入到增长新阶段。当前，我国经济运行总体上仍错综复杂：一方面，我国经济已步入发展新常态，正朝着形态更高级、分工更复杂、结构更优化的阶段迈进；另一方面，我国经过 30 多年的改革开放实践，经济体制已发生重大变化，目前阶段我国经济体制状况对经济运行有着重要的影响作用，改革进入攻坚期和深水区。因此，我国经济发展变局蕴含着丰富的内容，要求政府在剖析当前经济形势的前提下，主动顺应并积极引领新常态，牢牢把握新的发展机遇，推动经济健康可持续发展。

第一，“三大发动机”推动供给侧改革。中国经济正处在向新常态过渡的紧要关头，探寻经济发展的新动力是决定能否顺利过渡的关键因素。供给侧结构性改革是相对于“需求侧”而言的。供给和需求均属经济学范畴。投资、消费和出口“三驾马车”只是国内生产总值的三大构成要素，主要从需求拉动角度来看问题，是应对宏观经济波动的需求侧短期动力，强调要素投入，短期效应比较明显，只是经济增长的结果而非原因。与之对应的“供给侧”问题，则是从供给角度出发，通过制度革新、要素升级与结构调整“三大发动机”，显著改善资源配置效率，增加有效供给。“供给侧”和“需求侧”是双向的，两者互为因果，相互促进。只有二者尽可能对称、平衡，经济才能健康、可持续发展。供给侧改革最终也是为了创造需求。在经济发展的不同阶段，供需调控需要各取所长、各有侧重、交替使用。强调供给侧结构性改革，目的是坚持“三驾马车”与“三大发动机”双轮驱动、共同发力，保持供给与需求的对称平衡，实现经济良性可持续发展。

第二，贫富悬殊分配体制不合理。社会财富分配体制不完善、居民收入呈现两极分化已经成为近年来我国经济社会发展中面临的突出问题。一个国家或地区内部存在贫富差距是正常现象，但是区域间收入差距的持续拉大会影响该国家或地区的经济增长，损害社会稳定。我国的贫富差距主要表现在以下四个层面：地区间差距、城乡间差距、行业间差距以及社会阶层间的差距。具体而言，首先，我国城镇居民2014年人均可支配收入为28844元，农村居民纯收入仅9892元，城乡居民收入比值为2.92∶1。其次，实施区域优先发展战略后，东、中、西部地区经济发展水平的巨大差距也导致区域间居民收入的严重失衡。再次，国家统计局数据显示，改革开放以来，国内不同行业之间的收入差距呈现持续扩张的形势，人均收入最高的行业金融业是农林牧渔业人均收入的4.2倍。最后，社会各阶层收入差距进一步拉大。2012年度经济统计数据表明：国内收入排名前10%群体和收入排名末10%群体之间的收入差距，由1988年的7.3倍激增至2012年的23倍。2000～2014年，我国城市20%的高收入和城市20%的低收入之间的收入差距，由3.6倍扩大到5.5倍。

第三，产业结构优化趋势明显。伴随新一轮产业革命的持续深化，产业边界在科技突破与业态革新的作用下将逐渐交融，世界投资贸易秩序正加快重构步伐，不同产业内部与产品生产过程中分工的关键性也逐渐突显，服务贸易在世界产业链中的重要地位日益显现。作为全球市场中的一个工业与贸易大国，我国在世界产业分工格局中发挥着重要作用，但自身内部依然具有产业发展层次不高、处在世界分工格局低端等制约因素。在这种背景下，我国产业结构存在显著的分化，重化工业等传统产业集群日渐衰退，高端制造业、现代服务业等新兴主导产业集群加速崛起。这种现象满足追赶型经济体同一发展阶段的基本要求，表明了我国产业结构优化调整的长期趋向。未来国际市场中最具竞争优势的主要是中高端制造业集群，也是我国产业结构升级的主攻方向，而发展生产性服务业主要是服务于中高端制造业升级。只有不断进行产业结构的优化调整，未来我国才能从全球价值链的低端迈进中高端水平，并为全球价值链的治理贡献更大的力量。

第四，需求结构失衡有待调整。我国需求结构失衡主要表现在两个方面：一方面，内外需关系的严重失衡。金融危机以来，我国出口依存度有所降低，但截至2014年，该比率依然高于20%，相较于日本高出6%，相较于美国则高出13%。出口依存度严重偏高，与全球第一人口大国、第二经济大国的地位不符。另一方面，投资消费关系的失衡。近年来，由于全球贸易市场不景气，出口拉动经济增长的作用明显降低，投资与消费的贡献逐步递增。然而，投资的贡献率上升更快：2007～2013年间，最终消费支出与国内生产总值的比率上升了0.2%，资本形成总额与国内生产总值的比率上升了6.2%。我国最终消费率严重滞后于国际平均水平，对投资的依存度远远高于发达国家。这说明，多年存在的投资和消费的矛盾不仅没有得到解决，反而仍在不断加剧。究其原因，主要是因为我国是中等收入国家，且正处于工业化中后期，居民储蓄率较高，而这不仅是经济增长的必然结果，是保证经济较快发展的重要基础，还是中国人长期以来勤俭节约习惯导致的必然结果。

第五，区域融合发展渐成潮流。改革开放之后，我国的区域发展战略从非均衡发展战略逐步过渡到均衡发展战略，尤其是当我国经济步入发展新常态，逐渐形成均衡发展的物质主义的社会价值取向，政府也在进一步调整优化区域经济发展的战略导向和政策方法。2014 年中央经济工作会议提出，要以区域发展总体战略为基础，重点实施“一带一路”、京津冀协同发展、长江经济带三大战略。这三大区域经济带作为我国区域发展的重大战略，基本囊括了我国最具经济实力与发展潜力的地区，意味着经济发展由之前的以单个省为单位转变为现在的以三大跨区域经济支撑带为单位，区域战略从单一性和局部性逐渐走向整体性和全局性。即使依然存在地方保护主义、行政区划制约、画地为牢等区域分割问题，但区域融合和区域经济一体化的发展趋势已成主流。

第六，绿色低碳发展日益强化。能源资源趋紧、生态环境恶化，尤其是温室气体排放引起的全球变暖等气候问题，正在构成影响世界人民生存和发展的主要难题。践行绿色、低碳发展之路，强化资源节约与生态环境保护，绝大多数国家都已就此形成共识。鉴于此，我国政府提出“创新、协调、绿色、开放、共享”的五大发展理念，并强调将绿色发展理念放在突出位置，在扭转“唯 GDP”式粗放型发展方向上存在重要意义，具有鲜明的时代特色与针对性。人口规模庞大、资源相对紧缺与环境承载能力偏弱是我国的基本国情。当前受资源、环境因素制约，我国经济社会发展也受到很大的负面影响。未来伴随经济社会的持续发展，工业化与城市化进程逐步加快，居民消费结构进一步优化，资源供需矛盾和环境承载压力将愈加突出。树立绿色、低碳发展理念有利于减轻我国资源环境约束日趋紧张的突出矛盾，是实现生产发展、生活富裕、生态良好的文明发展道路的历史选择，也是通往人与自然和谐境界的必由之路。

二、“中等收入陷阱”背景下我国面临的机遇与挑战

中国是否已落入“中等收入陷阱”是近年来学术界讨论的热点，但不管是否落入，中国经济确实正处在由中高等收入向高收入水平迈进的阶段，如何顺利应对“中等收入陷阱”威胁，可以从危机与优势两方面来分析。

（一）我国面临“中等收入陷阱”下的危机

第一，中国的消费率远低于投资与出口指标。尽管中国在储蓄率和投资率水平上整体高于拉美国家，但却在消费率上远低于拉美国家。韩国消费率逐年走高，而中国台湾和新加坡也一直保持着适中的消费率，可见，如不能使国内消费达到一个适宜的水平，将难以为经济发展注入新动力。

第二，中国的社会秩序与社会治安存在隐患。中国的社会结构滞后经济结构约 15 年，刑事犯罪事件逐年增高，治安案件中群体事件也占据相当的比例，社会矛盾日益突出、社会基础不牢固也将影响到经济增长。

第三，资源与环境问题突出。自改革开放以来，中国经济长期处于高消耗低产出的超常规发展模式，人口和资源消耗、资源产出比率不协调，GDP 能耗强度、GDP 有毒碳氧化物排放强度也曾几度超出发达国家水平数倍；中国的各类红利，如土地红利、世界工厂红利等正因资源的枯竭和环境的恶化而逐步消失。

第四，中国基尼系数呈总体上升势头。虽比拉美国家情况好一些，但也因这种排斥性增长模式的存在，一方面排斥非国有经济在资源上的获取，另一方面排斥非既得利益集团的民众的利益分配。离完成改革的“最终实现共同富裕”目标仍存在差距，且加大了经济发展的社会环境不稳定性。

第五，社会保障体系不健全，标准过低，覆盖面过小。这不利于居民特别是中低收入者增加消费。目前中国的社会保障主要依赖于家庭，老百姓的储蓄有相当一部分用于预防性储蓄。家庭储蓄率的不断提高正是一种家庭预防性保障需求上升的必然结果。只有建立健全了全社会性的社会保障，老百姓有所依靠，家庭储蓄才会减少，进而才能带动消费增加。虽然，经过多年努力我国已经初步建立起基本社会保障制度，但当前这种保障制度还难以对中低收入阶层起到有效保障作用。主要表现在：一是社会保障在城乡地区甚至群体之间制度安排不统一，欠发达地区、中小城市城镇和农民的社会保障缺失，必然会抑制这些群体居民的当期消费，迫使他们为未来储蓄；二是社会保障覆盖面过小，当前中国的基本养老保险、基本医疗保险、失业保险等主要制度安排一是覆盖群体不一致，二是覆盖范围过小；三是政府对社会保障的投入支持力度偏低、偏弱，难以发挥社会保障本身的社会再分配功能和社会基本生存保障功能。

（二）我国面临“中等收入陷阱”下的优势

第一，庞大的国内市场。中国是世界上人口最多的国家，人口数量越多，就意味着市场上的消费者基数越大，因此也为产品销售带来了无尽的市场潜力。首先，中国经济的进一步发展和人均收入水平的增长必将带动消费需求；其次，各地资源禀赋差异大，区域经济发展存在明显差距，我国消费需求也因此呈现出多层次性和互补性；最后，国内市场实现统一，必将减少在信息交流与商品流通上的企业运营成本。

第二，较高的人力资本增长率及科研增长率。人力资本红利被认为是我国未来经济的增长点。1985～2010 年，我国人力资本总量年增长率为 7.20%。其中，1985～1994 年的年均增长率为 2.26%，1995～2010 年的年均增长率达 10.16%。由此可见，1994 年以后，人力资本增长加速。在科学研究方面，我国早已理解“科教兴国”的内涵，除大力推行教育体制改革外，还鼓励科研创新，在 2011 年中国发表的科研论文数量就已居全球第二，仅次于美国，且 2012～2015 年间我国的科研论文发表数量增加了一倍。科研成果转换率也逐年上升，将有助于全要素生产率的提高，中国经济发展质量也将随之提高。

第三，政局基本稳定，社会矛盾处于可控状态。虽然中国现已呈现出各类社会矛盾，但其核心仍在于利益，并没有像宗教矛盾、民族矛盾那样引起频繁的、大规模的、不可控的冲突与动乱；加之近年来执政党和政府明显意识到危机和责任，行政能力有所提高，社会保障体系逐渐完善，从解决人民群众的根本利益和矛盾出发，为经济增长创造一个更加稳定的大时代环境。

第四，增长动力较强。我国现正处于工业化加速期，未来也有可能继续保持高增长率，在城市化方面，潜在的城市化空间十分广阔，增长潜力大。此外，中国拥有国际与国内“追赶效应”：一方面，中国人均 GDP 水平远低于发达国家，存在快速追赶效应；另一方面，地区间经济发展差距大，中西部地区人均 GDP 水平明显低于沿海地区，存在中西部省份追赶东部省份的效应。两种“追赶效应”叠加，成为中国经济增长新的动力来源。

本章小结

本章首先对研究内容里两个重点方向——包容性创新与“中等收入陷阱”进行了介绍，包括其概念、内涵及主要特征。然后分别介绍了中国包容性创新的发展环境、中国包容性创新项目与现状、影响包容性创新发展的关键因素以及包容性创新的国际成功经验，最后总结了我国“中等收入陷阱”的现状及存在的问题，包括我国经济增长的阶段与现状以及我国在面临“中等收入陷阱”挑战下的危机与优势。本章的主要目的在于为全书的分析奠定理论与现实基础。

第三章　包容性创新与“中等收入陷阱”：国际经验

从国际经验来看，经济增长是有阶段性的，一国从低收入阶段过渡到中低收入阶段的过程中，动力主要包括固定资本投资、劳动力和对外开放等，而从中高收入过渡到高收入过程中，动力需从要素驱动转换到创新驱动。而包容性创新本就是创新的众多形式之一，从国际角度，包容性创新中的技术创新、市场创新、制度创新和组织创新能有效拉动内需、实现均衡发展、优化升级产业结构和提高经济增长效益，同时包容性创新更加注重低收入群体和绿色经济的发展，有助于维持经济增长的可持续性。所以本章将从国际经验的角度来考察成功跨越“中等收入陷阱”以及落入“中等收入陷阱”典型国家（地区）的主要特征并总结其成功经验和失败教训，同时查找国际上发展包容性创新的优秀案例，为推动我国的包容性创新的发展提供模板，并汲取这些国家的有效经验，以便我国早日顺利跨越“中等收入陷阱”。

第一节　成功跨越“中等收入陷阱”的国际经验

根据世界银行的统计，历史上已经有近40个国家（地区）成功跨越了“中等收入陷阱”，目前正处于高等收入发展阶段，这些国家（地区）集中在欧洲、北美洲和东亚地区。回顾这些高收入国家（地区）的发展历程，发现和目前正深陷“中等收入陷阱”的国家表现出截然不同的发展方式，如国际上普遍认可的日本、韩国、西班牙以及加拿大等国，都在15年内顺利实现经济飞速增长。而新型工业化的发展以及创新驱动力是推动这些国家（地区）实现经济转型和跨越“中等收入陷阱”的重要动力。所以通过积极总结这些国家（地区）的成功做法，并找到一些适合中国具体国情的发展方向和发展方式，对正面临“中等收入陷阱”严峻考验的我国来说，具有重要的现实意义。

一、跨越“中等收入陷阱”国家（地区）间的比较分析

除去世界银行数据不可考证的国家（地区），目前有31个国家在15年内成功跨越了“中等收入陷阱”。整体上，欧洲是进入高收入行列国家最多的地区之一，占比超过70%，处于绝对的的优势地位，而高收入国家（地区）在亚洲、非洲和北美洲均有分布，但所占的比例都不高，分别是来自亚洲的沙特阿拉伯、日本、韩国、新加坡和中国香港，来自非洲的赤道几内亚以及来自北美洲的加拿大、美国和巴哈马。

卢森堡早在1978年就顺利实现了经济飞越，是第一个成为高收入发展的国家，更是目前世界上人均GDP最高的国家，已经突破了十万美元；瑞士是第二个成功跨越“中等收入陷阱”的国家，也是目前人均GDP位列第二的国家，达到80215美元；挪威、丹麦、瑞典以及冰岛同时都在1979年成功跨越“中等收入陷阱”，2015年人均GDP分别达到了74735美元、52002美元、50273美元和50173美元，另外位于欧洲的荷兰、法国、爱沙尼亚和意大利也成功地在10年之内就轻松摆脱了“中等收入陷阱”的约束，成为了高收入国家。来自非洲的赤道几内亚在2003年进入中高收入国家行列后，短短两年之内就成为了高收入国家，稀少的人口和丰富的石油资源成为带动其经济发展的重要原因，但近年来受国际石油价格的波动，经济持续不稳定，导致2015年人均GDP已经突破世界银行对“中等收入陷阱”12000美元的界限，恐再次成为中高收入国家。美国作为世界上第一大经济体，跨越“中等收入陷阱”的时间区间为15年，同样来自北美洲的加拿大在1982年实现了成功跨越，历时12年。亚洲“四小龙”日本、韩国、新加坡和中国香港都早在20世纪80年代到90年代就成为了高收入国家（地

区），另外亚洲的沙特阿拉伯也早在1980年结束了为期6年的“中等收入陷阱”之旅，同时也属于时间跨度较少的国家之一，具体见表3－1。

表3－1　成功跨越“中等收入陷阱”国家（地区）列表（时间跨度≤15年）

国家（地区）	跨越年份	时间跨度	2015年人均GDP	所属地区
卢森堡	1978年	8年	101450美元	欧洲
瑞士	1978年	7年	80215美元	欧洲
挪威	1979年	7年	74735美元	欧洲
丹麦	1979年	7年	52002美元	欧洲
瑞典	1979年	10年	50273美元	欧洲
冰岛	1979年	7年	50173美元	欧洲
荷兰	1980年	7年	44334美元	欧洲
法国	1980年	7年	36248美元	欧洲
沙特阿拉伯	1980年	6年	20482美元	亚洲
美国	1981年	15年	55837美元	北美洲
加拿大	1982年	12年	43249美元	北美洲
奥地利	1986年	12年	43439美元	欧洲
芬兰	1986年	12年	42921美元	欧洲
日本	1986年	12年	32477美元	亚洲
德国	1986年	13年	41219美元	欧洲
比利时	1987年	14年	40231美元	欧洲
英国	1987年	12年	43734美元	欧洲
意大利	1987年	10年	29847美元	欧洲
爱尔兰	1990年	12年	51230美元	欧洲
新加坡	1990年	11年	52889美元	亚洲
中国香港	1990年	11年	42423美元	亚洲
西班牙	1990年	12年	25832美元	欧洲
巴哈马	1990年	12年	22867美元	北美洲
以色列	1992年	13年	35330美元	亚洲
韩国	1996年	7年	27222美元	亚洲

续表

国家（地区）	跨越年份	时间跨度	2015 年人均 GDP	所属地区
葡萄牙	1999 年	12 年	19223 美元	欧洲
赤道几内亚	2005 年	2 年	11121 美元	非洲
捷克	2006 年	12 年	17231 美元	欧洲
爱沙尼亚	2006 年	8 年	17295 美元	欧洲
匈牙利	2007 年	13 年	12259 美元	欧洲
波兰	2008 年	12 年	12495 美元	欧洲

注：① 时间跨度是指各国（地区）跨越“中等收入陷阱”的年份数。② 阿联酋、澳大利亚、卡塔尔、文莱、新西兰和中国澳门在 1978 年以前就已经是高收入国家（地区），由于前期数据不可考，故没有在表中列出。③ 科威特曾在 1970～1974 年和 1985～1990 年两次落入“中等收入陷阱”，但中间多年数据缺失，故也未在表中列出。④ 数据来源：世界银行。

二、跨越“中等收入陷阱”典型国家经济社会发展的主要特征

当一个国家（地区）顺利进入中高收入行列后，成功实现经济转型的国家（地区）往往能实现较快的跨越，他们通过调整适合本国发展的经济战略，推动自主创新，加大投资和消费的力度，不再依赖原始的资源红利、人口红利以及基础要素积累，顺利实现社会经济有序发展。在前文所列的 31 个国家中，韩国、日本、新加坡和中国香港是国际社会普遍认可的成功跨越“中等收入陷阱”的典型，但鉴于这四个国家（地区）都位于亚洲，且香港只是我国的一个特别行政区，而新加坡是一个城市国家，具备天然的地理位置优势，所以本书只选取了这四个国家（地区）中的日本和韩国作为研究对象。另外，我们还选取了欧洲的西班牙和北美的加拿大作为成功典型进行重点研究。总结这四个国家在“中等收入陷阱”中的特征表现，对我国具有重要的指导借鉴意义。

（一）日本、韩国、西班牙和加拿大四国的基本情况

日本、韩国、西班牙和加拿大是成功跨越“中等收入陷阱”的典

型代表，分别于1974年、1989年、1978年和1970年成为上中等收入国家，并在1986年、1996年、1990年和1982年成为高收入国家，历经的时间在所有成功跨越的国家中相对较短，且现阶段经济增长相对平稳。

1. **日本**

日本位于亚欧大陆东部、太平洋西北部，领土由北海道、本州、四国、九州4个大岛和其他7200多个小岛屿组成，被称为“千岛之国”。日本东部和南部为一望无际的太平洋，西临日本海、东海，北接鄂霍次克海，隔海分别和朝鲜、韩国、中国、俄罗斯、菲律宾等国相望。日本陆地面积仅为37.79万平方公里，国土面积狭小，自然资源相对匮乏，除煤炭、天然气、硫磺等极少量矿产资源外，其他工业生产所需的主要原料、燃料等都要从海外进口。但是，日本森林和渔业资源丰富，森林覆盖率占日本陆地面积的69%，是世界上森林覆盖率最高的国家之一。北海道和日本海是世界著名的大渔场，盛产700多种鱼类。2015年日本人口突破1.2亿，其中98%的人口来自大和民族，阿依努人和琉球人也占有一定的比例。另外，日本是第二次世界大战的战败国，但自此之后，在美国的援助下实行“重经济、轻军备”的宗旨，重视教育和科学发展，通过技术引进、模仿和创新来推动经济发展。目前，日本是仅次于美国和中国的世界第三大经济体，金融业、航运业以及商业服务业等占GDP的比重较大，尤其是金融业比较发达，处于世界领导地位，其中首都东京是日本乃至亚洲重要的金融中心。另外，汽车制造业、电子产品以及电气机械行业也是日本赖以生存的重要行业，外贸也在国民经济中占重要地位。自20世纪50年代后，日本按照关贸总协定中的最惠国待遇的基本原则，同大多数国家和地区进行自由贸易，以至于对外贸易迅速增长，其中主要进口商品有：原油、天然气、食品和原材料等；主要出口商品有：汽车、电器、一般机械、化学制品等；主要贸易对象是中国、美国、东盟、韩国和德国等。

2. **韩国**

韩国位于东亚朝鲜半岛南部，总面积约10万平方公里（占朝鲜半岛总面积的45%），主体民族为朝鲜族，通用韩语，总人口约5041万，首都为首尔。韩国三面环海，西濒临黄海，与胶东半岛隔海相望，东南是朝鲜海峡，东边是日本海，北面隔着三八线非军事区与朝鲜相邻，韩国有大约 2/3 的国土面积为山地，太白山脉贯穿东海岸。历史上，朝鲜半岛长期是中国封建王朝的藩属国，清末，中国在甲午战争中败给日本，韩国正式脱离与中原王朝的藩属关系。1910 年朝鲜半岛正式并入日本国领土，二战后光复取得独立。1950 年爆发朝鲜战争，南北分裂，北方国家称朝鲜，南方国家称韩国。从自然资源的角度来看，由于韩国国土面积有限，矿产资源相对稀少，虽然发现了约 280 种矿产资源，但储量都不多，工业的自然资源用量主要来自于进口。从人口方面来看，韩国是世界上人口密度最大的国家之一，人口出生率和生育率均居世界低位，同时人口老龄化问题严重，是 20 国集团和经合组织（OECD）国家中青壮年劳动力人口下降最快的国家；从经济方面来看，韩国的经济总量排名亚洲第 4，世界第 14 名，人均 GDP 位列亚洲第 3。另外，韩国还是亚太经合组织（APEC）和东亚峰会的创始国，亚洲“四小龙”之一，自 20 世纪 60 年代以来，韩国政府通过实行“出口主导型”开发经济战略，缔造了举世瞩目的“汉江奇迹”，是拥有完善市场经济制度的发达国家，也是“未来 11 国”中唯一一个发达国家；从产业角度来看，韩国的资讯科技产业多年来一直执业界之牛耳，制造业与科技产业发达，除高速互联网服务闻名世界外，内存、液晶显示器及等离子显示屏等平面显示装置和移动电话都在世界市场中具领导地位，另外韩国的金融业也比较发达，证券市场也相对完善。

3. **西班牙**

西班牙是一个位于欧洲西南部的君主立宪制国家，处于欧洲与非洲的交界处，西邻同处于伊比利亚半岛的葡萄牙，北濒比斯开湾，东北部与法国及安道尔接壤，南隔直布罗陀海峡与非洲的摩洛哥相望，领土还包括地中海中的巴利阿里群岛，大西洋的加那利群岛及非洲的休达和梅利利亚。从地理结构来看，西班牙是一个多山国家，总面积 505925 平方公里，其海岸线长约 7800 公里。历史上，西班牙是一个重要的文化发源地，在文艺复兴时期是欧洲最强大的国家，是一个强大的殖民国家，曾于 15 世纪中期至 16 世纪末期时成为影响全球的日不落帝国，用西班牙语作为官方语言使用的国家数量居世界第 2，仅次于英语。西班牙总人口超过4600万，是西欧国家人口密度最低的国家之一，也是目前世界上出生率最低的国家，属于欧洲高福利国家，同时也是一个多民族国家，主要的卡斯蒂利亚人占比超过73%。西班牙的自然资源也相对贫乏，主要有煤、铁、铜和锌等，森林覆盖率超过30%。西班牙经济发达，是一个高度发达的资本主义国家，是欧盟和北约成员国，2015年西班牙GDP居欧洲国家第6名，世界排名第13。服务业和旅游业是西班牙的支柱产业，占国民经济的比重超过65%，每年接待游客的人数位居世界第3，旅游收入排名世界第2，有文化遗产的项目位居全球第2，是欧洲经济体中以旅游业为主导的典型国家之一；西班牙的制造业集中在汽车、风力发电和船舶行业，众多工业原料和初级消费品都依赖出口。近年来，西班牙受金融危机、欧债危机以及欧洲经济动荡的影响，导致在2008～2015年间人均GDP滑落了1.57%，且相继在2009年、2010年和2012年出现负增长，前景不容乐观。

4. 加拿大

加拿大位于北美洲最北端，是英联邦国家之一，素有“枫叶之国”的美誉，首都是渥太华。加拿大西抵太平洋，东迄大西洋，北至北冰洋，东北部和丹麦领地格陵兰岛相望，东部和法属圣皮埃尔和密克隆群岛相望，南方与美国本土接壤，西北方与美国阿拉斯加州为邻，其领土面积为998万平方千米，位居世界第2，国土大部分位于北极圈之内，人口主要集中在南部五大湖沿岸。加拿大的总人口目前超过3500万，是地广人稀国家的典型代表，城市化率超过69%，是一个典型的移民国家，主要人口来自英国、德国和意大利等。加拿大在教育、政府的透明度、社会自由度、生活品质及经济自由的国际排名都名列前茅，还是八国集团、20国集团、北约、联合国、法语圈国际组织、世界贸易组织等国际组织的成员国。另外，从自然资源的角度来看，加拿大的水资源和森林资源非常丰富，矿产资源的总量也位居世界前茅，其中钾储量世界第1、铀储量世界第2、钨储量世界第2、镉储量世界第3、镍储量世界第4以及铅储量世界第5等，值得一提的是加拿大的原油储量仅次于沙特阿拉伯居世界第2，所以丰富的自然资源是推动加拿大经济发展的重要方式。从经济发展的角度，加拿大的经济总量排名全球第11名，人均GDP位列整个美洲第2，仅次于美国。同时加拿大是一个高度发达的资本主义国家，是西方七大工业化国家之一，这不仅得益于丰富的自然资源，还有其高度发达的科技，加拿大的制造业、高技术产业和服务业在国民经济中所占的比例很高，其中制造业和高技术产业以航空航天、有色冶金、信息通讯、动力装备、电力水利、纸浆造纸、微电子软件，新能源新材料等为主，同时这些行业都处于世界前列水平，服务业和旅游业的水平也很高，对国民经济的贡献超过65%，正是因为如此，加拿大成为了世界上拥有最高生活品质、社会最富裕、经济最发达的国家之一。但是，加拿大作为美国的邻国，在进出口和直接投资等方面对美国的依赖较大，在后金融危机时代加拿大的整体经济增长趋势不明显，呈现出一定的疲软态势。

（二）日本、韩国、西班牙和加拿大跨越“中等收入陷阱”时的主要特征

通过在前面章节中对跨越“中等收入陷阱”的相关理论进行回顾，我们知道一国落入或者成功跨越“中等收入陷阱”与其经济发展战略、技术创新能力、经济活跃度、居民消费情况、产业结构以及社会矛盾是否尖锐等方面有密切的关系；但这些都缺乏现实的实践和证据，所以我们通过日本、韩国、西班牙以及加拿大这四个典型国家作为代表，来分析它们在跨越“中等收入陷阱”时社会经济的主要特征，通过总结归纳为包括我国在内的面临“中等收入陷阱”严峻考验的国家（地区）指明未来经济发展的基本方向，并为这些国家（地区）提供具有参考意义的宝贵经验。

1. 经济发展迅速

日本、韩国、西班牙和加拿大四国在进入中高收入国家行业后，经济发展继续保持飞速发展状态且增长相对稳健，社会矛盾不突出，创新环境逐渐优化，几乎没有因为过高的失业或者通胀而出现经济停滞不前的状况，这为它们在较短的时间内成功跨越“中等收入陷阱”提供了良好的前提条件。从经济总量来看，日本作为世界第三大经济体，目前的GDP总量远远超过其他三国，证明日本在成功跨越“中等收入陷阱”后，没有出现大的经济波动和经济倒退情况；从人均GDP

的平均增长率来看，四国在跨越“中等收入陷阱”时都保持了接近于10%的较高增长态势，其中韩国以13.44%的平均增长率位列四国之首，也为其在短短7年内成为高收入国家打好了基础；从经济负增长年份来看，韩国和加拿大的人均GDP在“中等收入陷阱”内始终维持增长态势，未曾出现负增长情况，而日本曾在1982受全球性经济危机的影响而导致人均GDP从10062美元下滑至9290美元，这场危机导致日本经济在1981～1985年停滞不前，但在1986年实现经济飞越，并成功跨越“中等收入陷阱”，无独有偶，西班牙也曾在1981～1985年连续五年出现人均GDP负增长情况，延缓了西班牙早日成为高收入国家的进程，但在1985～1990年期间，西班牙的人均GDP增长率保持了接近25%的超高增长率，帮助西班牙在1990年顺利跨越“中等收入陷阱”。

表3－2　日本等四国经济发展情况对比

国家	2015年GDP总量	人均GDP平均增长率	经济负增长年份数
日本	48175亿美元	12.11%	1年
韩国	12340亿美元	13.44%	0年
西班牙	13111亿美元	10.09%	5年
加拿大	18391亿美元	9.89%	0年

注：① 人均GDP和经济负增长的年份数都是指四国在跨越“中等收入陷阱”的时间区间内，具体计算的区间为：日本1974～1986年、韩国1989～1996、西班牙1978～1990和加拿大1970～1982。② 数据来源：世界银行

2. 创新能力较强

专利申请是目前衡量各国创新能力的一个普遍指标。根据世界银行从居民与非居民两个角度所考察的专利申请情况来看，发现四国在跨越“中等收入陷阱”时，都拥有较强的技术创新能力。根据表3－3，发现加拿大作为一个典型的移民国家，其非居民专利申请总量是最多的，高达328277件，而居民专利申请数量最多的是日本，12年间总数超过了200万件，年均专利申请数也接近20万件，整体的创新能力是四国中最好的。同时，由于日本拥有超高的居民专利申请数量，从侧面说明了日本的草根创新情况相对发达，创新环境和创新生态培育良好，企业和普通居民对创新的重视度较高，创新意识和创新能力也

较强，这为日本成为世界第三大经济体，在经历全球性经济危机后，迅速实现经济反弹从而跨越“中等收入陷阱”做好了铺垫。另外，虽然韩国的非居民专利申请数和居民专利申请总量都不是最高的，但是在“中等收入陷阱”期间其年均专利数也超过了5万件。值得一提的是，韩国1989年的居民专利申请数仅7020件，但到1996年实现对“中等收入陷阱”跨越时居民专利申请数达到了68405，是1989年的近10倍，年均增长率高达38%。

表3－3　日本等四国专利申请情况对比

国家	非居民专利申请总量	居民专利申请总数	年均专利申请数
日本	279222件	2034633件	192821件
韩国	136429件	222942件	51339件
西班牙	87289件	23858件	9296件
加拿大	328277件	24613件	29408件

注：①专利数量所统计的年份数都是指四国在跨越“中等收入陷阱”的时间区间内，具体计算的区间为：日本1974～1986年、韩国1989～1996、西班牙1978～1990和加拿大1970～1982。②1981～1982年日本的专利数据缺失。③数据来源：世界银行。

3. 居民消费旺盛

四国在成功成为中高收入国家之后，消费对经济的驱动作用非常明显，尤其本章所选取的四个样本国家中仅加拿大的自然资源相对丰裕，对于其他三国而言，高消费必然是促使他们成为高收入国家的重要条件。根据表3－4，从2015年的人均消费情况来看，日本和加拿大依旧保持了非常高的人均消费量，是墨西哥和巴西等长期落入“中等收入陷阱”国家的近4倍，韩国和西班牙的人均消费量也是其2倍以上；从平均消费量上来看是，加拿大、日本和西班牙在跨越“中等收入陷阱”时，平均人均消费额都超过了10000美元，是巴西等国家近十年平均消费量的2倍；从平均增长率来看，韩国以6.77%的增长率超过了其他三国，且优势较为明显，说明韩国在成为中高收入国家后，政府通过了一定的手段来推动居民消费的增长，为韩国在7年时间内成功跨越“中等收入陷阱”做出了重要的贡献。

表 3－4　日本等四国人均消费情况对比

国家	2015 年人均消费量	平均人均消费量	平均增长率
日本	26182 美元	14856 美元	2.60%
韩国	12085 美元	7384 美元	6.77%
西班牙	16817 美元	12416 美元	1.81%
加拿大	28572 美元	16333 美元	1.94%

注：① 平均人均消费量和平均增长率的时间区间都是指在“中等收入陷阱”内，具体计算的区间为：日本 1974～1986 年、韩国 1989～1996、西班牙1978～1990 和加拿大 1970～1982。② 所有的消费数据都是以 2010 年不变价美元为基础。③ 数据来源：世界银行。

4. 收入差距较小

贫富差距越大的国家往往可能面临尖锐的社会矛盾、社会治安不稳定以及失业人口过多和贫困现象严重等。目前世界上用来衡量贫富收入差距的指标很多，我们采用普遍的基尼系数来衡量各国贫富差距。目前丹麦、日本和瑞典是世界上贫富差距最小的国家，控制在 0.25 以内，远低于国际上公认的 0.4 的安全警戒线，韩国、西班牙和加拿大的基尼系数分别维持在 0.32、0.35 和 0.36 左右，相比巴西和墨西哥等长期落入“中等收入陷阱”的国家而言，这些成功跨越的国家能始终将基尼系数控制在 0.4 以内，收入分配相对公平，贫困人口数量和比例都较低。同时，部分国家在落入“中等收入陷阱”以后，基尼系数反而下降了，以韩国为例，在成为中高收入国家初期，韩国的基尼系数为 0.39，而 1998 年下降为 0.31，平均每年的降幅为 0.01。

5. 开放度较高

从一国经济发展的基本逻辑来看，国际贸易往往能有效推动经济发展，更有可能使一国成为中高收入国家乃至高收入国家。从日本等成功跨越“中等收入陷阱”的国家来看，外贸依存度和经济开放度同样成为拉动这些国家经济发展的重要动力。根据世界银行的相关数据，西班牙的对外依存度维持在 42%～50% 之间；韩国的外贸依存度在“中等收入陷阱”期间始终维持在 58% 左右，个别年份甚至会突破 60%，而加拿大更甚，是仅次于德国的第二大外贸大国，部分年份的外贸依存度超过了 70%。日本和美国在众多成功跨越“中等收入陷阱”的国家中是两个例外，其外贸依存度维持在20%左右，这是由于这两国有相当先进的生产技术和丰富的资本投入，通过对外直接投资直接将工厂设置在人力资本相对较低且市场广阔的发展中国家；另外两国的第三产业非常发达，以至于货物出口较低，服务贸易出口较少，也拉低了其外贸依存度的数值。

6. 产业结构合理

推动经济转型和产业结构升级，实现从劳动力密集型和资本密集型向技术密集型产业发展是目前众多落入“中等收入陷阱”国家的重要产业发展目标，而日本等作为成功跨越“中等收入陷阱”国家的典型代表，其产业结构的优化程度比较合理。日本在进入中高收入国家收入行列后，产业结构有了明显的改善，其中第三产业的比例从49%上升到57%，而第一产业占比则从5%下降到3%。韩国的情况类似，第一产业大幅下降4%，第三产业则从48%调整至52%。另外，四国的高新技术产业，汽车工业和电子信息产业在第二产业中的占比逐步提升，将资源消耗型产业逐渐通过对外投资等方式向发展中国家转移。第三产业中，旅游业和金融业是这些国家重要的发展方向。

三、跨越“中等收入陷阱”典型国家的发展经验

虽然日本、韩国、西班牙和加拿大所处的外部发展环境以及内部国情不同，总体发展战略也存在差异，但是都能够在较短的时间内成功跨越“中等收入陷阱”，必然有其经济发展的独到之处。其中日本、西班牙和加拿大在处于“中等收入陷阱”期间甚至还经历了20世纪80年代初的世界性经济危机，但也都能控制住国内的经济形势，实现经济飞越，从而最终跨越“中等收入陷阱”。

（一）重视经济均衡发展

大部分成功跨越“中等收入陷阱”的国家都非常重视经济的均衡发展，根据本国经济具体的发展情况，因地制宜地推行一系列的政策，来刺激消费和出口以及推动技术创新与产业结构优化升级。具体来说，表现在以下三个方面：一是重视内源型经济与外向型经济兼顾协调发展。随着国际贸易在各国经济发展的重要性逐步提升，部分国家可以凭借国内丰富的资源或优越的地理位置成为中高等收入国家，但要成

功实现对“中等收入陷阱”的跨越，内源型经济的发展必不可少，同时这也是这些国家能在全球性经济危机后迅速得以恢复的重要原因。二是重视城乡经济协调发展。城乡经济的二元结构是困扰包括中国在内的众多发展中国家的难题，也是造成收入分配不均的原因之一。成功跨越“中等收入陷阱”的国家往往会通过固定资本投入来缩小城镇与农村的公共条件的差异性，同时通过推广旅游、服务以及金融业来进一步扩大部分农村地区的影响力，并通过一系列的社会保障措施，让农村居民同样享有相同的社会福利，缩小了城乡经济和人口矛盾的尖锐性。三是重视产业协调发展。与长期陷入“中等收入陷阱”的国家不同，这些国家不再过分地重视石油机械等重工业，而是转向发展航空航天、微电子、电气以及通讯导航等清洁且具备较强附加值的产业，并逐渐淘汰掉国内的资本密集型、能源密集型和劳动力密集型的产业。另外，在第三产业方面，以高新服务业、旅游业和金融业为核心的产业体系纷纷建立，并成为国民经济收入的重要支柱产业。

（二）重视科技创新

创新是一国经济发展的重要动力和根本源泉，培养优质的创新环境和创新意识是当今众多国家的重要策略，通过加大研发投入，促进创新产出，并充分发挥科技优势，推动产业结构优化。这些成功跨越“中等收入陷阱”的国家都通过了一系列的政策措施来推动科技创新，并加速专利市场化和产业化，日本就是其中的典型代表。在前文中提到，日本在从中高等收入国家成为高收入国家的过程中，年均专利申请数近 20 万件，其中居民的专利申请数更是远远大于同期的韩国、西班牙和加拿大，这得益于日本所奉行的“技术立国”的战略方针，为日本培育了有利于科技创新的土壤；同时日本还颁布了包括《高技术工业集中开发促进法》在内的一系列法律措施，来推动科技创新，实现以创新带发展的重要战略。另外，这些国家都相当重视研发投入对科技创新的推动力，早在 20 世纪 80 年代，这些国家的平均 R&D 投入占 GDP 的比重就普遍接近于 3%，并通过发展科技金融等各项综合措施来拉动科技创新。

（三）重视对外开放

区别于部分发展中国家的做法，日本等成功跨越“中等收入陷阱”

的国家重视对外开放，通过出口、对外投资以及货币国际化等一系列的措施来拓宽对外开放的广度，而非仅仅依赖进出口贸易。具体来说，一方面，坚持贸易的导向作用，采取一系列的政策措施，通过引进国外的先进技术，采取模仿、学习、加工和创新的路线，形成逆向技术溢出效应，在推动贸易结构优化的同时，促进企业技术创新。另外，通过并购和绿地投资等方式将一些高消耗和高劳动密集型的产业逐渐转移到发展中国家，在获取高额的利润报酬和提升企业的国际效应的同时不会对国内的环境产生污染。另一方面，积极推进本国货币在国际金融中的作用，通过加强对外合作，提升货币在国际投资、国际结算以及国际储备上的重要性，构筑货币国际化的发展格局。

（四）重视可持续发展

可持续的环境与经济协同发展是一种合理经济发展形态。只有建立健全的可持续发展经济机制，才能达到环境与经济之间的平衡，通过实施可持续经济发展战略，使社会经济得以形成可持续经济发展模式。这种健全的模式，本质上是现代生态经济发展模式。日本等成功跨越“中等收入陷阱”的国家非常重视经济的可持续发展，协调生态环境与经济增长的关系，避免陷入了环境诅咒的怪圈。具体来说，在经济结构方面，政府通过实施主导型循环经济战略和财税支持体系来体现对绿色经济发展的重视程度，对于高污染性产业采取取缔或转移的政策，并同时确立具体的法律框架，采取倾斜性的产业政策和创新政策，鼓励清洁型企业的发展，同时通过建立政府监管、社会监管和行业监管的三维监管体系来维持循环经济战略的执行；在政府扶植方面，通过转移支付来补助中小型科技企业的研发和生产，促进企业进行技术引进和资本引进，并为其提供一定的税费优惠政策；在资源策略上，积极削减企业对煤和石油等不可再生资源的使用量，减少废气和固体垃圾的排放，加速废弃物再循环，大力发展绿色消费，逐步形成市场和强化循环经济行政管理机制；在环境保护上，日本等国也曾受环境污染的威胁，但 20 世纪 80 年代后，通过将环保产业进行市场化推广，并倡导环保的日常化、生活化和全民化，在实现资源的合理高效利用的同时，开发高科技环保产品，并积极培育全民环保和爱护生态的意识，扩大绿色经济和环保产业的辐射范围。

第二节　落入“中等收入陷阱”的国际经验与教训

根据世界银行的数据统计，目前有近50个国家（地区）处于中高收入发展阶段，面临“中等收入陷阱”的严峻考验，且集中在拉丁美洲、亚洲和非洲地区，呈现出区域化的特点。这些国家（地区）落入“中等收入陷阱”的时间节点、国内发展状况、经济制约因素、社会文化环境以及总体发展战略都不尽相同，有些国家（地区）总体上稳定地保持低增长的发展状态，有些则面临尖锐的社会经济矛盾，失业、通货膨胀以及金融危机频发，巴西、智利、乌拉圭和阿根廷等南美国家甚至落入“中等收入陷阱”长达20多年，是国际上公认的落入“中等收入陷阱”的国家。目前，“中等收入陷阱”是摆在包括中国在内的众多中高等收入国家（地区）面前的一道鸿沟，所以深入考察落入“中等收入陷阱”的国际典型案例，剖析这些国家（地区）在“中等收入陷阱”中的主要特征，具有重要的现实意义。

一、落入“中等收入陷阱”国家（地区）间的比较分析

从目前处于中高等收入的国家（地区）来看，位于非洲中部西海岸的加蓬共和国是最早落入“中等收入陷阱”的国家，早在1976年其人均GDP就达到了4922美元，但历经40年仍未实现经济飞越，2015年人均GDP仍只有8581美元；目前留在“中等收入陷阱”中第二久的国家是墨西哥，1992年墨西哥人均GDP就达到了4051美元，24年仍未实现对“中等收入陷阱”的跨越，其2015年人均GDP为9592美元；另外，马来西亚和巴西同样落入“中等收入陷阱”的时间超过了20年，2015年两国的人均GDP分别为10073美元和8802美元。另外，落入“中等收入陷阱”的时间跨度超过10年的国家（地区）还有有圣卢西亚、黎巴嫩、土耳其、哥斯达黎加、巴拿马、格林纳达、毛里求斯、博茨瓦纳、南非、俄罗斯、多米尼克、牙买加、圣文森特和格林纳丁斯、罗马尼亚、黑山、哈萨克斯坦、伯利兹以及保加利亚。从地区分布来看，22个落入“中等收入陷阱”超过10年的国家（地区）

中来自北美洲的多达9个，5个来自欧洲，4个来自非洲，3个自来亚洲，1个来自南美洲。值得一提的是，阿根廷、乌拉圭和智利都于2011年实现了跨越，分别结束了长达24年、20年和17年的“中等收入陷阱”之旅，中国在2010年人均GDP达到4392.6美元，首次进入中高等收入国家行列。具体见表3-5。

表3-5　落入“中等收入陷阱”国家（地区）列表（时间跨度≥10年）

国家（地区）	跨入年份	时间跨度	2015年人均GDP	所属地区
加蓬	1976年	40年	8580美元	非洲
墨西哥	1992年	24年	9592美元	北美洲
马来西亚	1995年	21年	10073美元	亚洲
巴西	1995年	21年	8802美元	南美洲
圣卢西亚	1997年	19年	8410美元	北美洲
黎巴嫩	1997年	19年	11945美元	亚洲
土耳其	1998年	18年	9290美元	欧洲
哥斯达黎加	1999年	17年	10672美元	北美洲
巴拿马	1999年	17年	11850美元	北美洲
格林纳达	2000年	16年	8971美元	北美洲
毛里求斯	2003年	13年	9187美元	非洲
博茨瓦纳	2003年	13年	6150美元	非洲
南非	2004年	12年	5784美元	非洲
俄罗斯	2004年	12年	8447美元	欧洲
多米尼克	2004年	12年	7602美元	北美洲
圣文森特和格林纳丁斯	2005年	11年	6959美元	北美洲
牙买加	2005年	11年	4912美元	北美洲
罗马尼亚	2005年	11年	8938美元	欧洲
黑山	2006年	10年	7149美元	欧洲
哈萨克斯坦	2006年	10年	11028美元	亚洲
伯利兹	2006年	10年	4842美元	北美洲
保加利亚	2006年	10年	6582美元	欧洲

数据来源：世界银行。

二、落入“中等收入陷阱”典型国家经济社会发展的主要特征

在现有近50个中高等收入国家（地区）中，有22个的时间跨度已经超过10年，社会经济发展面临较大的挑战，寻找新的增长点，推动经济结构转型是现阶段的迫切需要。同时，落入“中等收入陷阱”的国家呈现出区域化发展的特点，本节就分别以位于非洲的加蓬、南美洲的巴西、东南亚的马来西亚以及北美洲的墨西哥为例，分析这些国家在“中等收入陷阱”中的经济社会发展特征。

（一）加蓬、墨西哥、马来西亚和巴西的基本情况

加蓬、墨西哥、马来西亚和巴西不仅是目前落入“中等收入陷阱”持续时间最长的国家，同时也是各地区“中等收入陷阱”国家的典型代表。加蓬位于非洲中部，目前已落入“中等收入陷阱”长达40年之久，1976年到2006年之间，作为一个发展中国家，加蓬的年人均GDP平均增长率仅为1.4%，处于较低水平。墨西哥是拉美地区的经济大国，1992年墨西哥进入了中高收入国家的行列，但在金融危机和国内经济增长疲软的影响下，至今未实现对“中等收入陷阱”的跨越。马来西亚位于东南亚，是一个典型的农业与自然资源输出国，1995年马来西亚人均GDP达到4286美元，至今仍未突破“中等收入陷阱”。巴西是南美洲面积最大的国家，几乎与所有的南美洲国家接壤，是金砖四国之一，1995年巴西的人均GDP达到4751美元，首次成为中高等收入国家，2002～2011年巴西迎来发展的黄金时期，并曾一度跨越“中等收入陷阱”，但2012年后，巴西经济遭遇滑铁卢，再次落入“中等收入陷阱”。

1. 加蓬

加蓬共和国位于非洲中部西海岸，横跨赤道线，东、南与刚果相连，北与喀麦隆接壤，西北与赤道几内亚毗邻，西濒大西洋，海岸线长800公里，全国面积26.77万平方公里。加蓬沿海地区为冲积平原，北部为克黎斯达山地，南部为古姆那—布阿里和夏伊吕山地，东南部是比罗固山地，这些山地都在海拔1000米以上。加蓬曾是法国殖民地，人口密度相对较低，2013年总人口为170万人，以俾格米和班图

两大种族为主。另外，加蓬拥有丰富的自然资源，享有“资源宝库”和“绿金之国”的美誉。其中，可开采的石油储量约4亿吨，锰矿蕴藏量2亿吨，占全球已探明储量的1/4，铌矿和铁矿储量也居世界前列，森林面积占国土面积85%。原木储量约4亿立方米，居非洲第3位。自从1960年脱离法国统治独立以来，凭借较低的人口密度和丰富的自然资源，加蓬的经济一度发展迅速，并逐渐形成了以石油、木材、锰和铀四大支柱产业的发展模式，吸引了包括中国、俄罗斯和法国等国家的投资，成为非洲经济发展较快的国家。但近几十年来，随着加蓬国内财政赤字和国际收支逆差的进一步加大，1980～2002年期间加蓬的经济发展受到严峻的考验，并在1990～1994年和1996～1998年之间连续出现负增长。2001年在国际货币基金组织、世界银行以及法国等的帮助下，加蓬政府通过积极减免外债，加快私有化进程，并重点实施了经济多元化战略，大力发展农、林、渔和旅游业，加大对铁、锰、木材等非石油资源的开发力度，鼓励发展中小企业，收到一定成效，经济逐渐走出衰退。

2. 墨西哥

墨西哥位于北美洲，北部与美国接壤，东南与危地马拉和伯利兹相邻，西部是太平洋和加利福尼亚湾，东部是墨西哥湾与加勒比海，首都为墨西哥城。墨西哥有“玉米的故乡”之称，同时在不同历史时期还赢得了“仙人掌的国度”、“白银王国”、“浮在油海上的国家”等美誉。墨西哥共有近1.2亿人口，在拉丁美洲仅次于巴西，同时墨西哥是拉美经济大国，2015年经济总量排名世界第13位，拉美地区第2位。另外，墨西哥还是世界上重要的矿业生产国，银产量位居世界第1位，铜和石墨居世界第3位，硫和重晶石位居世界第6位，钼、铅和锌位居世界第7位，无论是自然资源的总量还是种类都位居世界前列。另外，墨西哥是一个自由市场经济体，拥有现代化的工业与农业，总体经济实力位于整个美洲第4位，2015年墨西哥经济增长率为2.5%，相比2014年提升0.4个百分点。墨西哥工业门类齐全，石化、电力、矿业、冶金和制造业较发达，还是世界上主要的蜂蜜生产和销售国，而且石油在墨西哥经济发展中扮演着重要的作用。1995～2008年是墨西哥经济发展的黄金时期，这得益于1994年北美自由贸易区的建立，导致墨西哥与美国的贸易和投资往来增长迅速，极大地促进了墨西哥的经济发展以及国民收入提高。但2008年的金融危机同样给墨西哥经济蒙上阴影，造成2009年GDP同比下降19.8%。另外，美国作为墨西哥最大的贸易伙伴国，其经济状况对墨西哥的经济发展有着决定性的作用。

3. **马来西亚**

马来西亚位于东南亚，国土被南中国海分为两个部分：一部分是位于马来半岛的西马来西亚，北接泰国，南部隔着柔佛海峡并连接新加坡；另一部分是位于婆罗洲北部的东马来西亚，南接印度尼西亚。人口3086万人，其中华人占比达24%，首都为吉隆坡。马来西亚是东南亚国家联盟的创始国之一，环印度洋区域合作联盟和亚洲太平洋经济合作组织的成员国。马来西亚拥有丰富的自然资源，富含锡、铁、金、钨、煤、铝土和锰等金属矿产，橡胶、棕油和胡椒的产量和出口量居世界前列，且盛产热带硬木。同时，马来西亚是相对开放的以国家利益为导向的新兴工业化市场经济体。20世纪70年代以来，马来西亚逐渐形成了以农产品、农产品加工以及初级工业品出口为核心的经济发展模式，使得马来西亚自1987年以来经济连续10年保持超过8%的高增长率；但马来西亚过度依赖出口贸易，导致1998年东南亚金融危机和2008年的金融危机对其经济发展影响过大，分别造成近27.9%和12.3%的直接经济损失，而且自然资源的过度开发导致环境破坏严重。目前，马来西亚政府也逐渐意识到发展多元经济的重要性，并积极发展旅游业、电子信息产业、制造业和知识服务业，弥补传统产业对自然资源和环境的破坏，促进技术创新，通过发展“新经济模式”，加大对技术密集型企业的扶植力度，积极推动经济转型，使马来西亚的经济逐渐走出金融危机的阴影。

4. **巴西**

巴西是南美洲最大的国家，享有“足球王国”的美誉，国土总面积854.74万平方公里，居世界第5，总人口2.02亿。巴西的中部和南部是巴西高原，人口稀少，北部和西部则是亚马逊河平原，约占全国面积的1/3，为世界面积最大的平原，其中东南部人口稠密，巴西的重要经济城市圣保罗和里约热内卢都位于这里。历史上，巴西曾为葡萄牙的殖民地，人种以白人和黑白混血人居多，超过总人口的92%。另外，巴西拥有丰富的自然资源，铁矿砂、镍、锰、铝矾土和铅等多种金属储量都位于世界前列，石油、木材和淡水资源同样相当可观。同时，巴西的国内生产总值位居南美洲第1，是世界第七大经济体，也是“金砖国家”之一，工业基础比较雄厚，工业体系完备，钢铁，造船，汽车，飞机制造等已经跃居世界重要生产国家的行列。进入21世纪以来，在出口导向型经济以及发达的农牧业和工业的带动下，巴西迎来了经济发展的黄金时期，人均GDP从2000年的2836美元跃升至2011年的13280美元，年平均增长率达13.73%，并一度超过“中等收入陷阱”的上界12000美元；但好景不长，随着国际石油价格的下跌、国内政局动荡、高通胀率和货币贬值以及消费的减少，巴西经济逐渐走向低迷，2012~2015年巴西经济连续出现负增长，2015年更是萎缩了3.8%，并造成超过8万劳动力失业，同时，经济衰退也导致巴西成为二度落入“中等收入陷阱”的国家。

（二）加蓬、巴西、马来西亚和墨西哥落入“中等收入陷阱”的主要特征

加蓬、巴西、马来西亚和墨西哥作为较早进入中高等收入的国家，落入“中等收入陷阱”的时间跨度都超过了20年。作为各地区的典型代表，这四个国家在经济发展的过程中遭遇了不同的外部复杂环境和内部阻碍，出现经济衰退、滞胀、受外部经济因素影响大、经济结构脆弱、生态环境和可持续发展状况堪忧，与韩国、西班牙和日本等迅速跨越“中等收入陷阱”的国家呈现出不同的发展特征。

1. 经济发展缓慢

加蓬、墨西哥、马来西亚和巴西四国进入中高等收入国家行列后，经济发展速度逐渐减缓，总体增长率偏低，甚至出现了负增长情况。加蓬在1976年落入“中等收入陷阱”后，一直到2004年人均GDP都未突破6000美元，经济停滞的时间区间长达28年之久，同时在加蓬落入“中等收入陷阱”的40年间，竟然有17年都出现了经济负增长，包括在20世纪80年代到90年代末期连续出现的经济动荡，其中1993年的人均GDP更是同比下降了23.7%，超过了2008年金融危机对加蓬经济的影响；墨西哥和巴西从经济总量来看，分别是世界第7和第

13 大经济体，但落入“中等收入陷阱”后，巴西总体经济增长疲软，驱动力不足，近 20 年的人均 GDP 平均增长率仅 3.02%，是四国中最低的，同时巴西相继在 1999 ~ 2002 年和 2011 ~ 2015 年出现负增长情况，而墨西哥的总体发展状况是四国中相对较好的，但墨西哥在 1992 年进入中高等收入国家行列后，经济波动剧烈，其中 1995 年人均 GDP 净损失达 2033 美元，降幅达 36.1%，一直到 1999 年才逐渐走出困境，同时墨西哥经济发展受美国的影响过大，以至于在 2008 年金融危机中损失惨重；马来西亚作为典型的外贸型经济国家，1995 年人均 GDP 突破 4000 美元的界限后，发展后劲不足，2011 ~ 2015 年马来西亚连续 5 年人均 GDP 都突破了 10000 美元，但增长率过低，至今仍深陷“中等收入陷阱”无法自拔。具体见表 3 – 6。

表 3 – 6　加蓬等四国经济发展情况对比

国家	2015 年 GDP 总量	人均 GDP 平均增长率	经济负增长年份数
加蓬	138 亿美元	3.07%	17 年
墨西哥	11420 亿美元	5.02%	4 年
马来西亚	3135 亿美元	4.36%	5 年
巴西	17996 亿美元	3.02%	8 年

注：① 人均 GDP 的平均增长率的时间跨度为 1995 ~ 2015 年。② 经济负增长年份数统计的是四国落入“中等收入陷阱”后的时间区间。③ 数据来源：世界银行。

2. 资源依赖度大

根据传统资源与经济发展的关系理论，自然资源的丰裕程度在短期能有效推进经济增长，而在长期则容易让一国经济发展面临资源依赖的困境，进而诱发资源诅咒，导致经济增长疲软，造成技术创新能力停滞不前、环境破坏严重以及经济转型失败甚至是经济萎缩和倒退。加蓬和马来西亚总体的经济规模较小，早期凭借优越的地理位置和丰富的自然资源分别在 1976 年和 1995 年顺利跻身世界中高等收入国家行列，但随着内外部经济发展环境的改变，加蓬和马来西亚脆弱的经济基础受到挑战，导致长期徘徊在“中等收入陷阱”中；同样，墨西哥和巴西也拥有丰富的矿产资源，而且石油在两国经济发展中都起到了相当重要的作用，分别利用石油产业建立起了相对先进的工业，但随着国际原油价格的下跌以及传统钢铁、冶金和石化工业的技术含量较低，创新产出不足，无法支撑两国的经济发展转型和产业结构优化，以至于20年内两国都无法成功跨越“中等收入陷阱”。

3. **创新驱动力不足**

从日本、西班牙和韩国等跨越“中等收入陷阱”的成功经验以及相关理论研究来看，技术创新对跨越“中等收入陷阱”具有非常重要的作用，但加蓬、墨西哥、马来西亚和巴西的技术创新能力普遍不强。根据2013年美国康奈尔大学、欧洲工商管理学院和世界知识产权组织联合发布的《全球创新指数报告》，墨西哥和巴西的创新指数分列142个国家（地区）中的第63和第64位，加蓬第111位，普遍低于同样位于中高收入国家行列的中国、匈牙利、毛里求斯、保加利亚和泰国等，马来西亚位居第32名，是四国中技术创新能力最好的，但与同时段成功跨越“中等收入陷阱”的日本、新加坡和中国香港等国家（地区）相比，差距依旧较大。另外，从专利申请数来看，无论是各国国内专利申请数还是国际专利申请数都相对较低，墨西哥2006~2014年国内年均专利申请数为1.5万件，仅相当于广东省2015年的专利申请水平，而且其中仅有5.9%来自墨西哥本国居民，其余94.1%均来自外国人，2014年国际专利申请数也仅有284项，仅相当于同期中国所提交的1%；另外，根据中国知识产权局的统计资料，巴西的技术创新能力依旧不容乐观，1995年巴西专利在美国的授权数就达到了40件，而2013年仍只有117件，而中国这一数字已经从1995年的28件跃升至4904件。

4. **消费增长疲软**

消费作为带动国民经济发展的“三驾马车”之一，消费疲软造成经济增长乏力是落入“中等收入陷阱”国家的重要表现。从表3-7来看，墨西哥和巴西的整体消费水平比加蓬和马来西亚略高，2014年的人均消费量都超过了7000美元，但与同阶段的日本和韩国等顺利跨越“中等收入陷阱”的国家相比，人均消费量也仅为其一半左右。从1995~2014年的平均人均消费情况来看，四国中最高的墨西哥为4555.1美元，整体都低于5000美元，而加蓬和马来西亚都未突破3000美元，可见这些国家在落入“中等收入陷阱”后，消费对经济的拉动作用不明显；从近10年的四国平均人均消费的数据来看，巴西和墨西哥的平均人均消费水平都突破了5000美元，巴西的增长率略高，但总体上反映出这四个国家居民消费热情和消费能力不高，并始终处于较低的消费水平上。

表3-7 加蓬等四国人均消费情况对比

国家	2014年人均消费量	近20年平均人均消费量	近10年平均人均消费量
加蓬	5273.4美元	2856.4美元	3810.3美元
墨西哥	7023.4美元	4555.1美元	5865.1美元
马来西亚	5741.6美元	2627.6美元	3860.5美元
巴西	7462.4美元	3228.1美元	5700.0美元

① 近10年和近20年的数据是指2004~2014年以及1994~2014年。② 数据来源：世界银行。

5. 贫富差距较大

基尼系数是世界上普遍衡量一国收入分配和贫富差距的重要标志，一般而言，基尼系数的合理区间是维持在0.3-0.4之间，0.4-0.5之间则表示贫富差距较大，一旦超过0.5就表示一国的贫富差距较悬殊。但根据世界银行2014年公布的各国贫富差距的数据，从区域来看，欧洲和大洋洲是贫富差距较小的地区，而非洲和拉美地区则是世界上贫富差距最大的地区，其中巴西和墨西哥的基尼系数位列第1和第2：近20年来，巴西的基尼系数始终保持高位运行的态势，维持在0.6左右，属于贫富差距最为悬殊的国家；墨西哥在2000年以前基尼系数同样超过了0.5，但进入21世纪以来，基尼系数逐步下降，维持在0.45-0.52之间，仍属于贫富差距较悬殊的国家。而马来西亚的情况同样不乐观，近10年以来，马来西亚的基尼系数始终维持在0.4-0.5之间，位于所有亚洲国家的前几位。另外，作为撒哈拉以南的非洲的第四大经济体，加蓬同样面临着严峻的贫富差距问题，根据《全球人口发展报告2014》，加蓬2014年有超过30%的人口月收入低于8万非郎（约为1040元人民币），有超过1/3的人民生活在贫困线以下。另外，贫民窟同样是这四个国家的鲜明特色，巴西和墨西哥的贫困问题同样是贫富差距过大的真实写照。

6. 环境破坏严重

近年来，绿色经济和可持续发展理念越来越受到世界各国的重视，但加蓬、墨西哥、马来西亚和巴西四国进入中高等收入国家行列以来，资源红利导致四国对自然资源的开发力度逐渐加大，甚至不惜以牺牲环境为代价，导致环境破坏严重：木材加工和生产是加蓬最大的支柱产业，导致上世纪加蓬的森林资源遭到破坏；墨西哥在经济发展的同时同样面临来自环境的挑战，包括森林退化、河流污染、海洋过度开发以及石油资源的破坏，墨西哥每年因为环境破坏而损失 9% 的 GDP；马来西亚同其他落入“中等收入陷阱”的国家一样，经济发展非常依赖自然资源和出口贸易，自 20 世纪 70 年代起马来西亚就面临来自环境污染的严峻考验；巴西的过度城市化和工业发展同样导致了环境破坏，2004 ~2008 年，巴西圣保罗的空气污染指数高出常规水平的两倍，每年平均经济损失达 1. 4 亿美元。

三、落入“中等收入陷阱”典型国家的教训

加蓬、墨西哥、马来西亚和巴西等作为较早进入中高等收入阶段的国家，但却并未像日本、西班牙和韩国那样迅速跨越“中等收入陷阱”，而是陷入经济停滞甚至倒退、驱动力和消费不足的境地，经历超过 20 年的长途跋涉依旧未能进入高收入国家行列，虽然由于各国所处的国际环境和国内政策不一致，但是根据上述四国在“中等收入陷阱”中的经济社会的重要特征和表现，分析其中的成因，归纳有如下几个教训，值得包括中国在内的中高等收入国家反思。

（一）忽视经济均衡发展

大部分落入“中等收入陷阱”的国家前期都是依赖丰富的自然资源和地理位置，发展外向型经济，忽视经济的均衡发展和可持续发展，以至于国内投资不足，消费动力不足，贫富差距过大且产业结构不合理，甚至部分国家会出现政府债务过大，难以偿还的局面。具体来说，一是这些国家在外向型经济和内源性经济的选择上都普遍选择了外向型经济，从而忽视对国内消费和投资的重视程度；同时外向型经济会导致对国际宏观经济环境的依赖程度过大，一旦发生全球性经济危机或金融危机，这些国家的经济便会遭受较大的损失。二是这些国家忽

视了城乡协调发展和社会公平发展。这也是导致落入“中等收入陷阱”国家普遍表现出高贫富差距的重要原因，使得大部分农村人口被边缘化，基层创新和草根创新的动力不足，对农民和工人的基础权益维护不够；同时这些国家的社会保障制度存在明显缺陷，养老保险、就业方式以及劳动力市场不均衡等又加剧了收入分配的差距，一旦经济形势不稳定导致失业人口加大将进一步导致社会动荡，形成经济恶性循环，如巴西近几年在国际经济环境不稳定的背景下，加之通货膨胀严重，民众的生活和工作难以得到维持，社会经济发展不稳定，持续出现萎缩现象。三是这些国家的产业发展不协调，产业结构不合理，长期以劳动密集型和资本密集型产业为主，重工业和传统制造业的占比较高，电子信息、航空航天和互联网等高技术产业以及服务业等占比较低，经济增长乏力，创新动力不足。

（二）忽视包容性创新

包容性创新是一种体现草根创新和基层创新的重要方式，包容性创新对提升一国的整体创新能力和创新意识都具有重要的作用，而加蓬等多年落入“中等收入陷阱”无法自拔的国家，对包容性创新的重视程度不够，未能及时颁布相关的法律政策来推动全民创新发展，这不仅体现在研发投入的经费上，还体现在一国整体的专利申请数上。具体来说，一方面，这些国家忽视了教育对经济增长的重要性。教育不仅是一国劳动力素质提升的关键也是包容性创新得以维持的重要基础，但巴西2014年仅54%的劳动力完成了中学教育，仅64%的劳动力完成了小学教育，而墨西哥则面临严峻的教育不公平问题，教育改革和教师水平的冲突导致墨西哥的青年失学率急剧上升，这些都不利于包容性创新的发展。另一方面，这些国家都忽视了基础设施建设和基层金融发展状况。公共服务、卫生服务和金融服务作为包容性创新环节中的重要组成部分，未受到大部分长期落入“中等收入陷阱”中的国家的重视：巴西的基础设施落后已成为巴西经济增长的一大瓶颈，脆弱的金融体系导致1999年巴西金融危机的发生，经济滞胀现象严重；墨西哥、加蓬和马来西亚同样面临基础设施建设不足的问题，以至于国内投资疲软，自然灾害频发，影响外资进入和居民生活幸福感的提高。

（三）忽视经济发展战略的可持续性

经济发展战略是一个国家关于国民经济发展的全局性、长远性和前瞻性的总体构想和方针策略，第二次世界大战后各大发展中国家的经济战略都是围绕国民生产总值的增长，以工业化和对外贸易为核心，以人口红利或资源红利为驱动力推动要素积累，促进社会繁荣。但不同于欧美发达国家，落入“中等收入陷阱”后，墨西哥和巴西等国在执行经济发展战略时，没有根据做到以人为本和以人民的福祉为核心，没有因地制宜考虑发展战略的可持续性，过多地发展重工业和石油产业，积累率过高，经济比例失衡，产业结构不合理，基础设施和公共服务不完善，进一步导致消费不足、贫富悬殊、财政赤字、通胀严重以及外债增加。这种“传统型”的经济发展战略只能暂时性地保证GDP的增长，对于非洲等低收入发展国家是行之有效的，而且也帮助了加蓬等国顺利摆脱贫困，进入中高收入国家行列，但这种经济发展战略严重地忽视了经济协调发展和人民的根本利益，是不可持续的且导致一系列社会经济问题日渐凸显。显然，忽视经济发展战略的可持续性是这些国家长期落入“中等收入陷阱”的重要原因。

（四）忽视生态环境保护

在迈入中高等收入行列后，落入“中等收入陷阱”的国家往往会进一步加大石油开采和资源型行业的发展力度，从而陷入资源诅咒，导致生态环境恶化。具体来说：一方面，环境污染日渐严重。目前巴西等落入“中等收入陷阱”的国家面临来自空气污染、水污染和垃圾污染的严峻挑战，随着工业、运输业和过度城镇化的发展，产生大量的工业废气和废水、汽车尾气、工业固体垃圾和生活垃圾，环境污染和资源过度消耗不仅导致居民的生活质量下降，身心受到损害，而且会导致环境制约经济发展的力度越来越大；而此时各国政府在积极妥善协调环境和经济发展的关系的同时，需要通过投入大量的财政资金进行污染治理并加大公共卫生医疗和健康保障支出，来进一步缓解环境污染所带来的问题，但这对经济发展的转移支付形成挤出效应，导致政府投资率下降，难以有效支撑该国的经济发展。另一方面，落入“中等收入陷阱”的国家面临生态失衡、自然资源开发过度以及自然灾害频发等问题，近年来温室效应、森林面积锐减、臭氧问题以及生物多样性问题逐渐成为了制约这些国家社会和经济发展的重要因素。

第三节　包容性创新的国际经验

国际上，众多的国家都实施了包容性创新项目，包括亚洲的印度、泰国、越南，美洲的墨西哥、美国和巴西，非洲的乌干达以及南非等，所涉及的主体不仅包括政府、研发场所和社会机构，而且还有企业甚至是个人。所包含的类型涵盖了创新政策、创新机理、创新过程和创新发展等方面。回顾各国包容性创新的发展进程和相关项目，并学习和总结国际上成功与失败的经验教训，将有助于我国发挥包容性创新的强大驱动力。本节将从政府、科研院所、私营企业、国际组织与合作以及草根阶层与组织五个方面对包容性创新进行论述，并根据这些国际包容性创新的优秀案例，提出对中国包容性创新发展的重要启示。

一、包容性创新的五大主体

（一）政府

政府作为各国包容性创新的主要推动者和引导者，充当促进包容性创新发展的基础性、中介性和全局性的角色。印度、南非、乌干达和泰国等国政府通过为技术研发提供资金支持或者促进融资渠道开发、加强政府通过提供公共产品带来的硬件支持、建立跨领域与跨地域合作伙伴关系、加强市场信息交流、构建人才培养体系、推动知识产权在创新市场的应用等一系列的措施来实现包容性创新的可持续性以及创新产出经济利益的最大化，并积极协调市场供需，推动创新产业链的形成。

1. 印度包容性创新项目

印度是世界第 8 大经济体，拥有世界第 2 大的人口和第 7 大的国土面积，也是目前世界上实施包容性创新项目最好的国家之一。印度的包容性创新是一个涵盖项目、技术、私营部门、金融和整个 BOP 群体的创新体系，旨在培养全国性的创新生态环境，并利用国家创新生态体系来满足 BOP 群体的物质需求，改善其生活条件和生活环境。2012 年，印度的 19 个联邦都相继成立了创新委员会，出台了包括实施创新挑战奖励计划、建立包容性创新奖学金、创建教育与培训创新机构、设立国家创新促进服务机构、设置国家级设计创新中心和开展“集聚创新中心”活动等一系列举措。另外，印度还设置了国家创新基金会（NIF）来支持草根创新，同时与其他研究机构、行业协会以及微小型金融机构展开合作，来为草根大众提供金融支持和技术支持。目前该基金会所形成的创新系统已经申请了 500 项专利，并有 4 项获得美国专利批准，还为 175 个孵化基地提供了风险资金。至今，印度的包容性创新已在科学、医药、教育、农业以及电子信息等领域得到充分的体现和运用，致力于优化低收入人群的生活质量、提升印度的创新能力和推动经济转型发展。

2. 乌干达卫生项目

众所周知，非洲是艾滋病的重灾区，全球 70% 的艾滋病患者都集中在非洲大陆，所以位于非洲东部的乌干达卫生部要求各大医院、卫生场所以及相关生产厂商只使用或生产 KI 自毁式注射器，来阻碍艾滋病的血液传播途径。[①] 同时，在政策推进的过程中，促进了乌干达以 KI 自毁式注射器为核心的产业链条的发展，以至于 BOP 创新尽可能地在乌干达卫生医疗领域内的使用和传播。另外，这也给其他国家在面临疾病威胁或其他医疗卫生危机时提供了重要的模板，而那些拥有较强的经济实力和技术创新能力的国家，更有利于相关卫生企业的基层创新，推进包容性创新健康发展。

3. 南非科技项目

南非作为非洲第二大经济体，自 2004 年成为上中等收入国家后，政府加大了对技术创新的投入力度。2005 年，南非科技部出台了“能够产生社会影响力的科学技术”计划，旨在通过创新驱动，调整经济增长模式，改善投入产出状况，增加就业和减少贫困。同时，此项目已经通过了南非国家研究基金向包容性创新机构和企业提供资金支持，

① 主要参考资料来自：世界银行《中国包容性创新与可持续发展战略》。

以政府作为中介机构，将基层创新群体、公共服务研究机构以及市场需求结合成一个整体，如利用生物开发机构的研发技术，和农户建立合作关系，为农民创造收入和改善贫困。

4. 其他国家的包容性创新项目

自2008年泰国落入“中等收入陷阱”以来，贫困问题成为影响泰国社会经济发展的重要拦路虎，于是2012年泰国公共研究机构通过将包容性创新纳入“国家科技创新政策十年规划”中，建立“全国科学技术和创新政策办公室”综合性机构以及泰国科学和技术研究所，来强调科技与知识工程在BOP人群的福利中所发挥的作用，维持创新产出与市场需求之间的稳定，从根本上实现减贫和致富。另外，泰国还积极推进配套的科技金融设施建设，通过建设一系列民间融资机构为包容性创新项目提供了资金基础，并同步启动一系列包容性创新发展项目，让农户因地制宜提升生产力，摆脱贫困。俄罗斯同样作为落入“中等收入陷阱”超过10年的国家，俄罗斯政府也将包容性创新写进了国家科技规划，在2013年发布的《2020年前俄罗斯创新发展》中，进一步提倡草根创新、创新生态和创新环境对技术创新与经济发展的作用。另外，哥伦比亚政府所颁布的“国家社区增强计划”、世界银行与越南合作的包容性创新项目、欧盟的《欧洲2020年可持续与包容性的智能发展战略》和“欧洲脱贫平台”等。

（二）科研院所

科研院所汇聚了众多科技型人才，是一国技术孵化和人才培养的重要基地，是BOP创新的根本源泉，无论是高收入国家，还是发达国家甚至是贫困国家，研究院和高等院校在包容性创新中都将发挥重要的作用，如一些发展中国家的公共研究机构在减贫和经济发展等方面做出的贡献：南非通过赠款奖励课题研究和出版物等形式鼓励研究，为南非水工业学会提供饮用水和污水处理方面的研究支持，印度在药品和化妆品生产上的生物技术以及泰国的农业生产力提升项目等。全球研究联盟和部分高等学校是一些国家（地区）推动包容性创新发展的典型代表。

1. 全球研究联盟[①]

全球研究联盟是一个由全世界9个知识型技术和创新机构组成的网络系统，包括6万余名科学家和工程师，其组成成员包括股东所在国政府、非政府组织以及全球性私营企业等。联盟所承担的课题都是大型的复杂项目，并非单一高校或者机构能够实现的，通过基础性和应用性的研究，推动技术转化和商业化发展；具有突破性研究产品和技术包括MP3播放器、空间卫星技术、施乐复印技术、农村互联网服务技术、防流感药物以及低成本艾滋病药物和肺结核药物等；逐步形成了以农业、生命科学、医药学、工程学以及环境和空间研究为核心的应用型研究体系。通过积极考量各地区经济发展的现状，利用团队的前沿性成果解决实际问题，帮助解决非洲水资源污染、全球性气候变化的适应性战略、农村地区互联网接入服务的创新网络服务、临床性流行病研究和农村发展催化剂以及能源计划等。

2. 高等院校

高等院校作为国家创新体系的重要承担着，能在高级科研院所和基层创新之间起到缓冲作用，同时高校通过源源不断的人才流动，促进思想和技术的交汇，是世界各国创新活力最高的场所之一。对于包容性创新而言，各国知名大学的协助作用也是显而易见的，有些通过和国家性创新组织以及企业进行合作，来共同研发BOP创新项目，有些则直接引入包容性创新思想，积极改善技术细节，推进技术进步。南非的斯泰伦博什大学、美国的麻省理工学院以及荷兰的瓦赫宁根大学就是其中的典型代表。

（1）南非斯泰伦博什大学的低成本茶叶袋净水器

南非作为世界上开展包容性创新项目较好的国家之一，其高校所设计的产品同样具有高度的包容性属性，低成本茶叶袋净水器就是其中的佼佼者。南非斯泰伦博什大学的克罗伊特教授通过开发分散化应用技术，将普通的茶叶袋转化为净水设备，能够有效地吸收有毒的污染物质，并分别利用纳米材料和活性炭进行过滤和杀毒。这种设备最大的便利性在于无需依赖任何的基础设施就能进行大规模的社区污水

① 主要参考资料来自：世界银行《中国包容性创新与可持续发展战略》。

处理，而其低成本属性也决定了其包容性（产品的成本仅 3 分南非兰特，约 0.013 元人民币），适合大范围的生产和使用，不仅价格便宜，还不会对环境造成不必要的负担，甚至适合进行进一步的商业化推广，更适合在遭遇自然灾害时发放给受灾群众。目前，南非水污染严重，2014 年就曾发生大规模的自来水污染事件，导致疟疾和麻疹等传染性疾病，造成超过 3000 人死亡，同时水污染还加大了政府治理污染的成本，所以低成本茶叶袋净水器在最大程度上缓解南非水污染和减少疾病的同时，也帮助政府和企业减少治污成本。

（2）美国麻省理工学院的发展实验室

麻省理工学院的发展实验室旨在通过创新和低成本技术应用来提高全世界低收入家庭生活质量，同时发展实验室还作为一种教育工具，对教育贫困学生和提升学生的创新能力有重要的意义。目前，该实验室的研究成果包括农村松针生火火炉、便携式脚踏洗衣机等，另一个包容性创新项目就是“创新国际医疗项目”创新的肺结核治疗“X－out TB”、DIY 医疗设备发明包等为超低成本医疗提供解决方案等。同时麻省理工学院还通过设置 IDEAS 全球挑战赛，来激励草根创新，提高全球 BOP 群体的生活质量，已经涌现出了包括无数离网水技术、电和污水处理技术、低成本医疗方案以及假肢技术等优秀的包容性创新产品。另外，美国的其他著名高校也逐渐加入包容性创新的战线中来，包括斯坦福大学的“拥抱”婴儿保育箱、太阳能 LED 光源以及巴氏消毒方案等。

（3）荷兰瓦赫宁根大学的创新实验室

荷兰的高校、研究机构、商学院、企业通过与 BOP 创新中心韩凯全面合作，在食品、能源、水和水污染处理等领域都提供了包容性解决方案。其中，荷兰的瓦赫宁根大学通过与荷兰应用科技研究机构以及非营利性的研究中心合作共同创建了创新实验室，并与一家国际商学院和跨国公司形成合作关系，以提供的孵化器支持和知识传播共同致力于解决 BOP 问题的研究，以便在发达国家创造有利于包容性创新发展和研究的环境。

（三）私营企业

高校和研究机构并不是唯一通过高新技术来开发产品的机构，私营企业也可以自主研发，将现有技术应用于针对 BOP 阶层产品的技术设计上。包容性创新正在私营企业间兴起，一种既能实现企业盈利又能满足 BOP 市场、造福社会的新模式正在显现。企业可以通过率先开发包容性产品抢占新兴中产阶级（日均收入 4～20 美元）的消费市场，预计在 2030 年新兴中产阶级人数将翻三番达到 7.25 亿人，占总人口的 49%，由此企业也将在消费群体上获得竞争特有优势。私营企业包容性创新领域的成功可以归功于技术创新与克服基础设施困难上，只有不断地进行包容性创新，不断降低产品所辐射的人口阶层的范围，才能维持企业的可持续性发展。

1. 美国通用电气

美国通用电气是拥有超强技术创新研发能力的大型跨国企业，逐渐在多元化发展中成长为领军式的大型集团。目前通用电气已经分布在全球 100 个国家，员工人数超过 31 万人，所涵盖的范围包括金融、航空、医疗、交通、能源、电力配送以及水处理等。显然，美国通用公司并非专门的 BOP 企业，但它却拥有发展包容性创新的重要基础，众多产品都体现了这一特性，以低成本便携式超声仪为例，由于医用超声仪必须同时兼备成本低、质量高和便携等特征，否则无法在发展中国家进行推广，美国通用公司借鉴以色列产品研发中心的研究成果，通过去掉超声仪中的大量硬件，运用软件进行设计来调整机型，同时通用公司的研发团队还进一步调整了使用界面，降低了使用的难度以便提升产品的使用率。

2. 南非替代能源开发公司

南非的替代能源开发公司成立于 2000 年，是典型的 BOP 企业，其创始人帕普斯托夫专门针对农村电力系统设计了低成本的空气燃料电池，以便加速推广，通过利用廉价的塑料外包装和含有锌电池以及电解质的塑料袋，可以在两分钟内实现电池装配，并连续工作 240 个小时。显然，这种空气燃料电池为偏远的农村地区提供便利和降低了电池设计的成本，更重要的是为南非提供了更加清洁和可靠的照明能源，减少了火力发电等对空气的污染，也降低了火灾发生的可能性。但这种空气燃料电池需在固定的配送点提供技术人员，需在锌电极或者燃料电池能量耗尽时进行更换，确保电量的可持续性。

3. 印度民营企业

一是印度的医疗企业。印度的部分医疗企业致力于为低收入群体提供物美价廉的服务，如印度的阿拉文眼科医院从事低成本白内障手术，成本仅30美元，仅相当于美国同等手术价格的百分之一，并为了节约成本自己建立制药部门。由于阿拉文眼科医院的护理人员受教育程度相对较低，但通过培训和创造性的方式大幅降低了人力资源成本，借鉴麦当劳的链式管理方式，增加医生的创新产出。另一个在印度医疗领域的重要包容性创新机构是在加罗尔的一种低成本心脏外科手术，通过规模化、专业化和经济性的方式，降低手术成本，同时手术速度更快，具备世界级的技术水准，相比而言能给患者降低70%以上的费用。

二是印度的冰箱制造公司。印度作为一个大部分位于热带地区的国家，冰箱成为生活必需品之一，但印度目前仍有超过7000万家庭没有实现通电。Godrej & Boyce公司通过联合BOP妇女创新团体研发了世界上最便宜的冰箱，是企业与低收入群体的联合开发项目，不仅解决了印度大规模无电人口的食物保存需求，还能为偏远地区疫苗和药品的储存、运输提供帮助。另外，该冰箱仅有20个零部件，实现简单和便捷操作，而其销售和研发则利用了微小金融网络服务，以农民作为销售员，实现产品的推广和可持续性发展。

三是印度塔塔集团。塔塔集团是印度一家久负盛名的包容性创新企业，平均每年的创新产品超过1000项，其中2008年推出的Nano汽车就是一项典型的包容性创新产品；同时在产品的研发、生产和推广上都始终坚持低成本化，让BOP群体也能买车。

4. 其他公司

墨西哥的CEMEX公司提出了针对低收入群体的一个小额信贷计划，以资助企业的原材料采购、技术服务和前期固定资产和设备等。显然，低收入家庭群体是一个更加广阔的市场，人口基数和技术缺口是CEMEX公司实施计划的重点，这些低收入客户有更加稳定的利率需要、资金需要、供给需要和技术需要，导致整个市场处于供不应求的状态；通过设立营销和融资网络，为下层分销商提供建材原料，并由本地代理商负责监督管理，以维持项目运行的持续性。同时公司通过适时进行价格调整和重组业务流程来使所提供的服务更加接触 BOP 市场。另外，孟加拉国的格莱珉电话公司所推出的“女士电话”也是一个典型的包容性创新产品，在维持低价的基础上提升了孟加拉妇女收入并降低了城乡电话拥有量的差距。其他的推出包容性创新产品的企业还包括尼泊尔无限集团、孟加拉乡村电力集团以及中国强华科技有限公司等。

（四）国际组织与合作

随着包容性创新在全球范围内的逐渐发展，一些有影响力的国际性机构同样有助于扩大包容性创新的影响力以及对社会和经济的推动作用。另外，国际性组织还通过与部分地区的包容性创新实体以及 BOP 项目团体展开合作，提供金融支持与国际化视野来直接或间接性促进包容性创新发展，推动包容创新成果在国际范围内的推广。

1. 全球性基金会

国际性机构包括一些国际基金会，如维康信托基金会、比尔和梅琳达·盖茨基金会等，都参与到建立包容性创新的合作中来。这些基金会支持包容性创新发展，并倡议一些知名的研究机构关注草根群体的创新，其中比尔和梅琳达·盖茨基金会所发起的“搜索大挑战”项目就是其中的代表之一，对全球性的包容性创新发展产生了极大的推动作用，通过鼓励开展大型的、重要的和非传统性的研究，发现一些新颖别致且成本低廉的创新方案。

2. 全球责任许可项目①

全球责任许可项目旨在寻找知识的商业化运营与为贫困人口提供免费知识教育之间的平衡，致力于解决少数公司、大学、政府机构以及非盈利性机构所掌握的技术和资源，通过完善技术控制机制，来推进已有技术在减贫中的重要作用，提升 BOP 人群的生活质量，提升技术创新与运用的能力。具体来说，全球责任许可项目通过与专利持有者进行沟通，倡导专利持有者出于人道主义精神而暂时性放弃专利所有权，只有当申请是出于减少贫困或者发展目的时才能被准予暂时性使用该知识产权，而原专利持有者在此期间仍然拥有其所有权，这种

① 主要参考资料来自：世界银行《中国包容性创新与可持续发展战略》。

模式能够改善低收入群体的生活质量。从本质上讲，全球责任许可项目是一个专利技术的中介机构，通过这个中介机构可以更有效地促进专利和技术在全球范围内的推广和传播，在提升贫困人群的技术创新能力的同时，进一步将技术和专利转化为实际的生产力和经济效益。

3. G20 峰会

2011 年，在戛纳举行的 G20 峰会上，领导人提出了“二十国集团在包容性创新上的挑战”，不仅对包容性商业进行定义，还指出企业应寻求以创新性、规模性和商业性的方式与 BOP 群体开展合作并为其提供服务；同时认为包容性创新产品和服务是未来的重要商机，并将包容性商业定义为企业核心价值链的一部分，通过设置供货、分销、零售以及消费者等层面，为金字塔底层的人群提供商品、服务和升级。而这种商业模式的特点包括：提高 BOP 群体的创新能力、BOP 融资、BOP 产品和 BOP 服务等。同时 2016 年 9 月在中国杭州举行的 G20 国峰会的主题就是构建一个创新、活力、联动、包容的世界经济，同样体现了包容性创新的理念。

4. 国际合作

成功的包容性创新案例往往是在不断地交流和合作中完成的，而包容性创新的基本内涵也提现了合作的重要性。目前，大型的包容性创新项目需要紧密地国际合作，需要各国的科学家、金融团体、社会机构和跨国企业的共同参与，如前文所提到的全球研究联盟、麻省理工学院的创新挑战赛和全球责任许可项目等。包容性创新中的国际合作本质是各大主体在创新领域中所进行的政策协调行为，包容性创新中的国际创新主体之间需要对创新团队制定的对外政策进行调整，以使整个项目和团队与合作方的政策相兼容。

合作在包容性创新中发挥了非常重要的作用。通过不同的平台能将创新产出辐射更多的 BOP 人群，并不断为更底层的和位于贫困线以下的人口提供便利，所以通过包容性创新所产生的合作新知识产权同样司空见惯。合作性知识产权能有效地汇集各地区的创新成果，形成集聚效应并建立人才网络，对推动各地区的包容性创新项目的可持续发展提供了保障。另外，合作性知识产权能有助于专利库的形成，通过要素积累与创新成果积累，诱发集成创新，扩大专利和相关产品的可获得性。一是人才网络建设。通过建立人才网络，综合全世界各个领域的力量来为低收入群体解决他们的特殊需求。例如英国的肯·班克斯发明的开源短信软件，广泛应用于非政府组织之间沟通、医生与病患沟通、海地减灾协调工作等，节约了很多时间和成本，同时还派生出了众多相关产品，被广泛应用于金融、媒体和法律层面；人才网络所形成的开源模式也被应用于药品开发领域，如印度的 CSIRO 开发资源药物发现计划，其理念就是要发现和开发成本低于传统创新药物，为广大 BOP 群体提供医疗和药品支持，通过来自 135 个国家的 4500 多人的科学社区，建立起了庞大的人才网络体系，为广大发展中国家生产了更有效的药物。二是专利库的建设。专利库为包容性创新提供了另一种合作机制，如前文所提到的全球责任许可项目本质上就是运用专利库来推动创新产出的商业化运用，在进行创新应用的同时也帮助了 BOP 群体减贫和提升生活质量。而通过这种专利共享机制，已经出现了众多包容性创新的典型案例。如 2009 年 2 月，葛兰素史克公司发起了一项专利库倡议，将治疗热带疾病的药物专利纳入一个统一的免费专利库，造福更多苦于热带疾病中的发展中国际人群；“知识生态国际”组织同样设立了一个专门为中低收入国家服务的药品专利库。

（五）草根阶层和组织

前文所提到的政府、机构和科研院所等本身具有极强的资金或技术优势，是发展包容性创新的重要引导者和核心成分；但草根阶层作为现实生活中包容性创新的重要基础，拥有强大的人口基数和创新研发潜力，这些草根阶层往往掌握着更加传统、朴实和实用的技艺，部分产品只要通过基础加工和市场化推广就能成为服务 BOP 群体的重要创新力量。包容性创新的发展让草根群体的创新成果得到价值最大化和得到经济回报的同时，也能起到良好的示范效应，有助于扩大包容性创新的普及度和大众创新理念的推广。当前国际上的草根阶层和组织的包容性创新领域主要体现在金融服务、技术孵化以及信息咨询和技能培训等领域。

1. 金融服务类

毫无疑问，资金往往是阻碍包容性创新研发和推广的重要阻碍因素，前文所提到的众多国家政府都通过设立相关金融机构来鼓励包容性创新发展，印度的国家创新基金会、泰国基金会以及孟加拉乡村银行等就是其中的典型代表。印度国家创新基金会一直以来鼓励民间创新发展，鼓励 BOP 群体进行自主创新，为他们提供优惠利息的金融服务贷款，同时还与包括中国在内的众多国家的非政府民间组织展开交流与合作；泰国基金会同样非常重视民间创新与民间金融的融合发展，在草根基层中着力推广包容性创新发展；孟加拉乡村银行是 2006 年诺贝尔和平奖获得者穆罕默德·尤努斯所创办的一家微型贷款机构，其主要特点是以最贫困的农户为基础，特别是以贫困家庭中的妇女作为主要目标客户，提供小额短期贷款，按周期还款，整贷零还，无须抵押和担保人，以五人小组联保代替担保，相互监督，形成内部约束机制。孟加拉乡村银行自成立以来为消除孟加拉贫困人口和发展包容性创新做出了重要贡献。

2. 技术孵化类

基层创新组织是包容性创新发展的重要力量，印度的蜜蜂网络和可持续发展技术与制度委员会是其中的典型代表。蜜蜂网络是现阶段印度包容性创新基层机构中总体建设相对完备、规模较大和体系较完善的组织之一，目前已经建立起了一套集立案发现、产品发展增值、企业发展、知识产权管理和产品或服务商业化的完整机制。经过几十年的发展，蜂蜜网络的创新领域已经不仅仅局限于印度国内，其创新产品涵盖了 30 多个国家和地区，创新项目、活动和产品总量超过 5000 件。可持续技术和制度研究会虽然起初只是为蜜蜂网络集团提供融资服务和基础性保障，但经过 23 年的发展，已经逐渐发展成为印度发现基层创新的重要机构之一。

3. 信息咨询和技能培训类

要实现包容性创新的服务 BOP 群体和帮助贫困人口实现收入增长，帮助他们进行技能培训和提供信息咨询服务必不可少，印度的 KGVK 民间组织就是其中的典型代表之一。虽然目前 KGVK 的服务范围还只局限于印度加尔克汉德邦农村低收入群体，但其民生研究和培训中心对加尔克汉德邦的低收入人群进行医疗卫生、教育和水资源管理等方面的培训来提高他们的生活和生产技能，更重要的是 KGVK 只收取少量能够维持组织正常运营的费用。同时该组织还通过俱乐部、社区和零售店等方式来向 BOP 群体推送信息和展开技能培训。

二、全球包容性创新发展对中国的启示

全球性的包容性创新是一个包含技术、效率、商业模式以及能准确契合发展中国家 BOP 人群的项目，这就要求部分创新活动不仅需要从头开始，还要因地制宜发展。而在众多的包容性创新案例中，我们也可以得到一些重要的发展经验，包括创新的成本控制、跨国合作的中间机构、创新生态的建立以及包容性创新的生态化模式等。另外，目前中国已经将扩大公共服务、缩小贫富差距以及推进民生工程建设等作为未来发展的重要方向，包容性创新同样与中国社会经济的发展密切相关。从政策角度，推进包容性创新发展，有利于提升整体创新能力和创新意识，通过包容性创新将企业、高等院校、研发机构、科技金融和相关中介机构联合成一个整体，有利于促进产业结构升级和经济转型发展；从理念和思想角度，包容性创新有助于中国建立成创新型国家，对完善原有的创新体系有积极的作用。通过借鉴已有国际成功经验，中国在未来发展包容性创新的过程中可以得到以下启示：

一是包容性创新是推动社会和谐和提升人民福利的政策工具，但需要因地制宜，不能盲目跟随。包容性创新是政策制定者在众多的政策工具箱中的重要备选之一，包括产权保护、基础设施建设、教育补助、包容性金融体系建设、对外出口贸易制度设计、户籍与社保制度和竞争性市场环境建设，等等。地方政府要根据本地的社会经济发展状况，实施不同的方针策略，最大程度上放大包容性创新的影响力。

二是包容性创新目前在中国可能依旧是一个较新的名词，民众的包容性创新意识仍有待加强。印度是目前包容性创新实施得较好的国家，并且产生了相当显著的社会效益和经济效益，但中国目前在包容性创新方面的实践并不多，所以在中国大部分地区可能需要当地研究机构、政府部门以及中介机构的共同努力。另外，我们当前对包容性创新的主体仍需要区别对待，草根创新者可能会面临更多的困难，这就需要政府的大力扶植，通过财政拨款和银行融资等方式进行支持，而对于以大型企业为核心的包容性创新项目政府更多地是起政策引导的“催化剂”作用。

三是如何加速包容性创新产品的商业化进程是目前中国包容性创新发展的一大难题。现阶段，中国的包容性创新仍停留在政府倡导，企业生产，中介机构协调的局面，但作为中国包容性创新的核心主体——企业却面临着动力不足、技术能力不足和门槛较大等问题。从某种程度来说，包容性创新具有一定公共物品的属性，若未能实现商业化经营，包容性创新项目在中国很难获得可持续性发展。

四是目前中国的创新生态体系仍面临较大的挑战。中国在包容性创新体系建设上付出了极大的努力，但部分项目政府与创新主体的积极性表现截然相反，加之缺乏国家战略统筹，众多金额庞大的公共支出项目往往都因为存在缺陷而流产甚至胎死腹中。另外，中国的高校和研究机构对包容性创新的重视程度不够，产学研体系建设的不完善导致中国高校的众多研发产品难以实现市场化推广；更重要的是，目前我国草根创新产品大都难以得到政府和社会的支持，创新性的国际交流和国际合作数量也明显不足。所以，积极推动各类包容性创新项目的运转，提高包容性创新在高校和企业研发中的地位，提升项目各参与方的主观能动性，加速包容性创新产品的市场化应用，使包容性创新做到真正为 BOP 群体服务，并为改善中国社会经济环境做出贡献。

本章小结

“中等收入陷阱”是包括我国在内的众多发展中国家面临的重大难题。本章通过对国际上成功跨越“中等收入陷阱”的经验总结，发现虽然这些国家所面临的国内外经济环境、经济策略以及社会矛盾等都不尽相同，但它们注重经济均衡发展、重视技术创新和对外开放，以及重视经济的可持续发展战略，这都为我国成功实现对“中等收入陷阱”的跨越提供了良好的模板。同时，本章还对加蓬、墨西哥、马来西亚和巴西等长期陷入“中等收入陷阱”而无法自拔的国家的国内经济状况和发展特点等进行了回顾，并发现这些国家在外向型经济和内源性的选择上存在偏误，过分依赖石油等矿产资源而忽视对环境的保护和经济的可持续发展，导致国内产业结构分化，贫富差距明显。另外，这些国家对包容性创新的理解和实施能力有限，对整体的技术创新战略实施力不够，以至于难以通过创新驱动来实现对“中等收入陷阱”的跨越。最后，本章从政府、科研院所、私营企业、国际组织与合作以及草根阶层和组织五个方面对现阶段国际上包容性创新的优秀案例进行了简要的回顾，并根据国际上这些已有的优秀案例，总结对我国包容性创新发展的重要启示。

第四章　包容性创新促进经济增长影响机制理论

本章是在基于前文所描述与分析的现实基础上的延伸，由现实引申到理论的部分。本章重点将基于跨越“中等收入陷阱”的视角，对包容性创新如何促进经济增长的影响机制进行相关理论分析，由此得出的结论也将为后续实证研究提供理论背景。本章分为两节：第一节分析包容性创新与跨越“中等收入陷阱”相关经济增长因素之间的联系。正如前文所总结的现有“中等收入陷阱”研究，均表明以往的要素驱动等经济增长方式将逐渐被创新驱动所替代，而包容性创新作为创新的众多形式之一，从上文所陈述的包容性创新概念可知，包容性创新、经济增长以及“中等收入陷阱”这三者之间存在着密不可分的联系。第二节分别从内需拉动、均衡发展、产业结构三个方面分析包容性创新如何促进经济增长，主要也是基于上文对已成功实现“中等收入陷阱”跨越的国家经验总结，联系包容性创新的内涵部分，包括包容性创新实现价值途径、包容性创新区别传统创新以及包容性创新的参与性、可持续性，认为其对经济增长的促进作用可从以上路径得以实现。

第一节　包容性创新与跨越“中等收入陷阱”的机理分析

中国早在2011年就已成为世界第二大经济体，并且成功进入较高水平的中等收入国家行列，经济增长成就令人瞩目。改革开放以来，片面追求经济增速而忽视经济增长质量的弊端逐渐显露，包括发展模式过于陈旧，产业结构的优化与升级难度大；山寨产品层出不穷，技术创新相对贫乏；贫富差距日益加大，社会公平性问题频出；政府官员腐败问题严重，甚至企业内部腐败现象频发，由此导致资源配置效率低下等。虽然在现今学术界仍对“中国陷入中等收入陷阱”这个命题的真伪性存在争议，但不可否认的是，中国现已面临“中等收入陷阱”的挑战，只有及时发现并解决发展中存在的问题，才能顺利实现跨越。

“中等收入陷阱”表现出经济无法持续增长，甚至出现回落，也就是经济增长的动力不足。从一般意义上来讲，经济增长是有阶段性的，一个国家在从低收入过渡到中低收入阶段的过程中，动力主要包括固定资本投资、劳动力和对外开放，在由中高收入过渡到高收入过程中，已有成功实现跨越的经济体经验告诉我们，此时动力因素已转换到制度和技术进步，即实现中等收入水平向高收入水平的飞跃应及时将经济增长动力由要素驱动、投资驱动转换到创新驱动（张德荣，2013），如转换不及时，也将导致陷入“中等收入陷阱”。

在认识到中国现所处经济水平阶段以及创新驱动在现阶段的重要性后，再来对比中国经济发展的进程与现状。自1979到2008年间中国技术进步对经济增长的平均贡献份额为28.57%，远不及经济发达国家的一半，甚至低于发展中国家的平均水平35%。通过图4.1中国与东亚地区成功跨越“中等收入陷阱”的主要经济体比较也可发现，从1995到2012年间，各国的R&D经费占GDP的比重均高于中国，中国在2002年以前都未能突破占比1.0%的水平，而同期其他四国已在2.0%至3.0%之间稳步上升，日本更是已经达到3.0%；之后十年间，中国虽已接近2.0%，但与其他国家相比仍存在一定差距。如前述可知，日本、韩国均采用“科学技术创造立国”战略，通过提高科研水平和科技成果转化率，同时注重创新教育氛围，进而顺利跨越“中等收入陷阱”。2013年中国的R&D经费投入占GDP的比重首超2.0%，达到2.08%，说明中国应继续加大创新投入，通过创新驱动路径实现经济的持续增长，从而跨越“中等收入陷阱”。

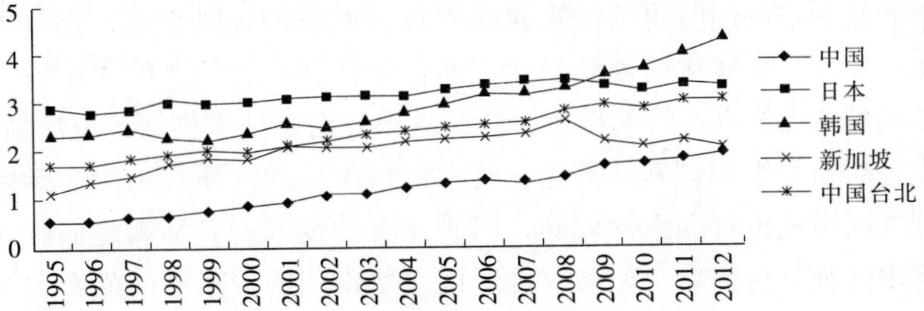

图 4.1　东亚主要经济体 R&D 占 GDP 比重

数据来源：《中国经济数字地图》

技术创新对经济增长的推动作用早有相关研究证实，如索洛经济增长模型中所提出的，长期增长率是由劳动力增加和技术进步决定的，而这里所提到的劳动力增加也包含劳动力素质提高的意思，劳动力素质的提高需要通过科学教育来实现，所以归结起来，长期增长率的提高离不开技术进步与技术创新，索洛模型打破了以往“资本积累是经济增长最主要因素”的理论，向人们展示了技术创新对经济长期增长的巨大影响。熊彼特的创新理论认为促进经济发展中改变生产方式和更新生产技术占据重要地位，熊彼特认为，创新就是建立一种新的生产函数，把生产体系中的生产要素与生产条件重新组合，而经济发展就是指整个资本主义社会不断地实现这种重新组合，就是不断创新的结果，因此，他提出创新是资本主义经济增长和发展的动力，而今，这些理论不仅适用于资本主义经济，也同样适用于市场经济发展。

包容性创新本就是创新的众多形式之一，其基本特征包括：第一，系统性的思考方式，因为包容性创新面向的市场具有一定的特殊性和不确定性，所以要求具有更系统性的思考；第二，开放性的创新过程，因为包容性创新不是在实验室里的系统研发，而是更具有实践意义的创新，需要一定的外部积累；第三，独特性的创新机制，认为针对低收入群体的包容性创新应具有价格的可负担性与产品的可接受性，所以在创新过程中尤其要注意成本的控制和产品的设计；第四，可持续性的创新成果，包容性创新对当地的经济与自然环境具有多重影响，考虑到 BOP 市场的脆弱性，所以尤其要注意避免负外部性的产生，在追求经济利益的同时更要注重对自然环境的保护和对当地文化习俗的尊重；第五，多样化的创新形式，即包容性创新所包含的各类活动也从不同的角度推动经济的增长，这些活动分别是技术创新、市场创新、制度创新以及组织创新。首先，技术创新中的加大研发力度、运用新的理念与模式进行探索性创新，因为此时的技术创新是满足低收入群体需求的针对性创新，如果直接运用成熟市场的技术和产品会因为其质量要求与投入成本偏高而无法给予低收入群体一个消费得起的价格，所以需要有针对性的创新活动。其次，市场创新中的扩大消费市场、让低收入群体以生产者甚至创业者的身份参与到包容性创新中来，这要求企业不仅要生产出包容性产品，更要调整价值链，让低收入群体能够同时以消费者和生产者的双重身份融入到经济活动中来。再次，制度创新中的寻求均衡发展，一方面构建有效的交易制度体系来弥补BOP市场的信息不对称、产权不明确、制度无法有效执行等问题；另一方面提供对改善低收入群体生活质量的行之有效的包容性制度，使得企业与低收入群体两方都能从中获益。最后，组织创新中的主体保障支持，特定组织的创新组合会使双方或多方在合作中不断解决问题，进而使资源得到有效配置，为双方带来益处。在包容性创新中，“政府+公司+农户”经营形式的创新、NGO组织的互动，把原本独立且缺乏沟通的各方联动起来，共同实现经济的包容性增长。

在结合包容性创新的技术创新、市场创新、制度创新以及组织创新四类创新活动，“中等收入陷阱”的成因与成功跨越因素，便能得出包容性创新在基于跨越“中等收入陷阱”视角下实现经济增长的路径。包容性创新中的技术创新以及市场创新，生产出更多针对低收入消费群体的产品，扩大了消费市场，进而有效地拉动我国内需增长；包容性创新中的制度创新弥补包容性创新市场的交易制度欠缺，加快产品的销售进度，也让更多的低收入群体加入生产中来，提高低收入群体的收入水平，另外辅以旨在直接改善低收入群体生活品质的政策制度，实现均衡发展；包容性创新中的技术创新、组织创新不仅将更多科技成果应用到低收入群体中，例如农业的现代化，实现由粗放型向集约型转变，更创新出许多新型经营模式，将农业与工业、服务业，私人与企业合理结合，优化升级产业结构，经济增长效益与质量同步提高。

此时的创新更加具有包容性，由此带来的经济增长模式将远远不同于从低收入向中等收入水平跨越阶段的模式，此时的经济增长更加注重低收入群体、发展的可持续性以及环境保护。

如前所述，已有国内外研究对当前中国跨越“中等收入陷阱”，分别从确认创新驱动发展战略、实现消费增长、缩小贫富差距、适度城市化进程以及产业结构的优化升级等方面进行了路径研究。除此之外，经济增长确是跨越“中等收入陷阱”的重要衡量指标之一，在国际上，都有定性、定量的统一考量。基于以上考虑，本书构建了如图 4.2 所示的具体理论影响机制，认为包容性创新作为创新驱动的一种，以创新为出发点，考虑其在促进经济增长时与跨越“中等收入陷阱”因素的契合点，分别从扩大内需、均衡发展以及产业结构优化升级三方面研究包容性创新对经济增长带来的影响。

图 4.2　包容性创新促进经济增长理论模型(跨越中等收入陷阱视角)

第二节　包容性创新促进经济增长影响机制

一、包容性创新带动“消费马车”

“中等收入陷阱”的一大典型特征即经济增长停滞甚至衰退。消费是驱动中等收入国家经济增长的主要动力，如果一国消费疲软，势必导致经济停滞甚至衰退，从而增加落入“中等收入陷阱”的风险。拉动经济增长的“三驾马车”包括出口、投资和消费，在中国实现低收入水平过渡到中等收入水平时期，经济增长带有明显的要素驱动特征。中国是世界人口第一大国，这也就意味着中国有着丰富且廉价的劳动力，人力资源占优势，而且中国地大物博，在19世纪甚至20世纪初期，各类自然资源都相对国际上其他国家更为充裕，尤其是矿物、农产品等，中国充分利用劳动力与自然资源的比较优势，以要素投入来拉动经济增长，此时的中国带有十分明显的“资源立国”特征。从劳动要素投入来看，中国在从低收入水平向中等收入水平过渡的阶段充分利用“人口红利”，生产劳动密集型产品，并凭借其较低廉的价格以及借助加入WTO的机会大量出口到国外，外汇储备在2001年还仅为2121亿美元，而2010年就已增长到2.85万亿美元，对外贸易的长期顺差使得中国成为“出口导向型发展战略”国家。除此之外，中国经济还曾显现投资过热现象，经济界甚至达成“投资依赖型经济增长”共识，中国的经济增长曾一度出现“三驾马车”失衡现象，“投资拉动型”和“出口导向型”增长模式在我国经济结构中长期占据主导地位。

相比之下，国内消费需求则明显不足，而且在消费结构上存在问题。2000至2013年间，消费需求对GDP的贡献率由65.1%降至50%，其中居民消费占比由2000年的46.4%降至2013年的36.2%，为历史最低水平。从2001至2009年，中国居民消费率由45.3%下滑至35.1%，2009年高收入国家、中高收入国家、全球平均居民消费率分别为62%、57.5%和61.5%，中国的居民消费率无论是从横向还是纵向来比较，都亟需提升，相较于旺盛的投资和出口需求，消费的增长空间极大，尤其在当下资本外流加剧、外需不振的背景下，内需增长将为经济转型升级提供可持续性的动力。

另外，我国在要素驱动阶段，正好抓住了加入世贸组织这一历史机遇，顺利实现了由低收入向中等收入水平的跨越阶段，因此也未能及时发现经济增长中“三驾马车”失衡问题。在进入中等收入阶段后，随着人口红利的逐渐消失，劳动力成本的上升导致我国面临前所未有的产业转移，原有的增长模式弊端频现，例如，出现了资本流动性过剩，经济社会货币增长率超过 GDP 增长率等现象，存款增速大于贷款增速，面临通货膨胀的压力。同时，生态环境日益恶化，之前的要素驱动、粗放式经济增长，不计后果地肆意开采不可再生的自然资源，刻意追求经济增长速度而忽视了对环境的破坏；贸易摩擦逐年加剧，中国长期处于贸易顺差地位，而在加入 WTO 后发达国家承诺对中国开放市场，由此对国外的本土企业发展带来冲击，为了保护本土经济，而且中国自身也存在知识产权、环境壁垒等问题，使得我国处于出口贸易劣势地位。这些后果给我国经济的可持续发展造成了严重的影响。为了在跨越期防止经济增长的形势出现逆转，根本的出路就在于扩大国内需求，尤其是居民消费需求。

大多陷入“中等收入陷阱”的国家存在着过度投资和消费不足的问题，而在中等收入阶段，经济体中消费占 GDP 比重高于投资率占比，其经济增速更不容易出现减缓。支持消费拉动经济增长的学者认为有需求才会引致生产，进而推动经济增长，亚当·斯密在《国富论》中提到“国内市场支持大国产业发展”，李克强总理也曾指出以内需为主是大国经济发展的必由之路，可见，我国在面临中等收入向高收入水平的迈进阶段，也应走以内需为主特别是以消费需求为主的经济发展道路，中等收入向高收入水平的迈进需要“三驾马车”协调拉动。尤其是在观察图 4.3 后可以发现，居民消费水平的变化与人均 GDP 的增长趋势基本吻合，更能印证消费对经济增长之间的关系。

除此之外，相关数据亦充分表明在消费结构上，全体居民以及城镇居民消费水平远高于占低收入群体 90% 人口的农村居民消费水平(图 4.3)，可见我国的农村居民相较城镇居民而言，在消费能力与需求上还存在着相当大的差距，我国的消费更多集中在收入水平相对较高的群体，而低收入群体的消费对经济增长的拉动作用还未能显现出来。对于中国来说，我国拥有世界上仅次于印度的庞大 BOP 人口数量，其人数占到了全球总量的 13%，农村是 BOP 群体最主要的集中地，这一巨大的人口数量占比也是让我国不得不将其消费水平提高问题考虑进来的原因之一。另外，高收入水平消费者因边际消费倾向低难以通过提高其收入水平实现扩大内需，而包容性创新侧重对低收入群体的创新，如果一方面从提高低收入群体的收入水平来提升消费能力，另一方面又通过包容性创新来提供适合低收入群体消费的产品，这两方面的结合将能很好地扩大我国农民的消费需求。我国的国情决定了未来的发展尤其要注重人数占比相较发达国家居多的低收入群体消费能力的提高，我们有足够的理由认为农村居民消费水平的提高与中国能否实现经济增长进而顺利跨越“中等收入陷阱”有着关联性。

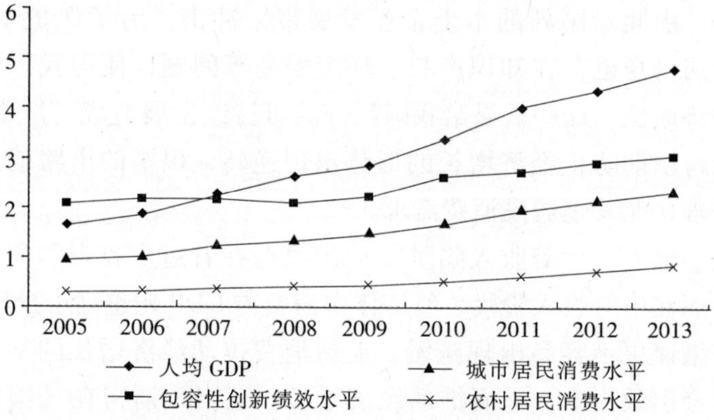

图 4.3 中国居民消费水平、包容性创新绩效水平与人均 GDP

数据来源：历年《中国统计年鉴》

我国现有的 BOP 市场主要集中在农村，这些地区往往由于缺乏市场经济运作的基本条件而难以很好地发展，比如市场信息的传播与获取不对称、不及时；原有技术知识和技能在该市场不能照搬使用；缺乏完善的管理制度；融资渠道相对狭窄、地区所有的金融体系与金融基础设施不完备等。如果不能解决这些资源匮乏问题，在农村发展 BOP 市场将举步维艰。而包容性创新不仅具有传统创新系统的共性，也拥有着针对低收入群体的自身特殊性，它的创新群体包含了政府、企业、研究机构、NGO 组织以及低收入群体本身，这些群体在发展

BOP 市场中都发挥了极其重要的作用。例如政府完善相关制度建设，为包容性创新提供政策扶持；研究机构为企业生产出质量高但成本低的产品提供技术支持；企业在政府的支持和利润的驱使下自主应用新技术开发针对低收入群体的产品；而低收入群体内蕴涵着巨大的创新潜力和积极性，他们也将在其中扮演“消费者”与“生产者”的双重身份。随着消费的增加，我国 BOP 市场正在迅速增长，显示出包容性创新的巨大潜力，由图 4.3 所显示出的数据可以看出，包容性创新的增长趋势与人均 GDP 的趋势基本吻合，这也是 BOP 市场经济发展的必然结果，因为低收入群体的消费需求带动了企业的生产，为国内生产总值的增长作出了贡献，与此同时，低收入群体也在消费中提高了自身生活水平。

包容性创新项目可以令人信服地扩大收入微薄群体支付得起的产品范围，而无须改变或影响促进经济增长的政策。但当前私营部门远未实现成本集约，而公共领域又不太可能实行财政资源约束。利用现代化科技指向特定目标，在生产时考虑到 BOP 的利益，这就已经服务了全球数以百万计的人口。这些项目为传统创新带来了回报：能够在提高生活质量方面实现突破性的提高。近年来，创新在发展中国家的作用主要是增强国家竞争力和创造高收入的就业机会。简单地说，BOP 群体也必然有一条平行发展之路，即较少地依赖于财富的再分配，更多地依赖于产品和服务种类及覆盖面的扩大，因为从传统意义上来讲，产品和服务是用来衡量购买力的。例如，生活质量的改善可以体现在一台支付得起的非电力洗衣机、一台低成本的冰箱、虽非必须但是可以与改善身体状况的“现代医药”相关医疗保健。同样，笔记本电脑、电话和收音机可以提高娱乐享受，帮助弱势群体建立自我认知，而这种认知是通过参与更大范围的国民文化实现的，此前他们是很难接触到的。价格极低的污水处理产品可以使人们在艰苦环境下生活得相对容易些（并减少疾病的传播）。这些产品不仅可以使生活变得更加舒适，更有助于增强人们的能力和自信。他们可以把富余出来的时间用于参加经济活动、开办企业，也可以提高劳动生产率、改善健康状况。同时，当前高收入和低收入人群之间的鲜明差异也可以通过扩大产品的覆盖面而变得不那么清晰，因为这些产品可以提高尊严、实现自我价值并得到社会的认同。

总结以上观点，认为包容性创新对内需增长的影响主要通过以下两个方面实现：第一，包容性创新为私营部门提供了巨大的 BOP 市场，这将为其提供新的增长机会。包容性市场创新为经济增长提供环境支持，通过参与包容性创新，企业将根据 BOP 群体的需求提供其支付得起的产品，对产品、市场的创新将会使低收入群体这一底层的消费力被调动起来，这将进一步提高这一群体的购买力。中国现阶段拥有将近 4 亿的低收入群体，这一群体内需的拉动无疑会使我国经济增长上升到一个新的高度，BOP 群体从包容性产品的消费中所获得的满足感将有力地促进这一消费市场的深化。例如 2007 年的家电下乡政策就是扩大内需的一个重要举措，是财政和贸易创新的一个重要突破，很好地推动了包容性创新产品进入农村市场。开发适合农村消费特点，质量又有所保证的家电产品，对该范围内的农民消费家电产品在价格上给予 13% 的财政补贴，以此来增加农村居民的购买力；企业在低收入群体的首次购买后就能直接获益，一旦其形成消费习惯，再加之企业对低收入群体消费潜力的二次挖掘，通过价格促销、口碑宣传的方式，实现消费持续助推经济增长，进而带动人均 GDP 的增长，实现由中等收入向高收入水平迈进的目标。第二，包容性创新活动所带来的包容性产品不仅可以提升 BOP 群体的生活质量，也有助于增强其能力和自信，使其更积极地参与经济活动。例如印度塔塔公司制造了低价汽车 Nano，折合人民币售价约为 1.85 万元，有权威公司根据 Nano 汽车的性能指标进行推算，合计后发现成本在 2850 美元左右，那么塔塔的盈利除了依靠一定的技术创新以外，还依托了降低运输成本和为低收入群体提供工作机会来降低劳动力成本；塔塔公司研发的这款汽车致力于解决印度低收入群体的出行问题，为其提供安全、买得起并且在任何天气都能舒适出行的交通工具。除此之外，低收入群体也许相较科研人员，缺乏专业系统的科技创新知识，但因其最接近 BOP 市场，所以也更了解低收入群体真正的消费需求，从而可以创新出更适合低收入群体使用的包容性创新产品；他们拥有使创新系统正常运作所需要的资源与能力；低收入群体可以以用户创新的方式帮助企业实现商业模式更新，从这些方面不仅提高低收入群体的劳动生产率，而且提高了企业的包容性创新效率，从而更进一步扩大内需。

二、包容性创新实现均衡发展解决内在矛盾

虽然导致“中等收入陷阱”的原因很多，但其中许多因素的作用效果，在一定程度上都与收入分配的作用状况有很大的相关程度。收入分配的不平等使占国民大多数的中低收入者收入难以提高，压抑其投资积极性，资本市场很难快速发展和完善，一旦被动开放，就会出现种种问题和危机。而由于收入分配不平等导致第一产业比重居高不下，农业将长期成为产业升级的瓶颈，使得国民经济结构和产业结构升级转换进程迟缓。收入分配的不平等在中等收入国家最为突出的表现为收入分配差距拉大，而包容性创新能够调整收入分配结构，最终实现均衡发展。

在我国收入差距表现在多方面，城乡差距、城乡内部差距、区域差距、行业差距、部门差距都很明显，其中，城乡居民收入差距和区域收入差距是我国收入差距中最为重要的两个方面。关于城乡内部收入差距的原因，主要在于劳动力要素的流动和转移，这在农村内部表现得尤为突出，而行业收入差距和部门收入差距的成因主要在于政策导向和垄断行为的存在。自改革开放初期提出“让一部分人先富起来”以及“城乡发展功能差异化”等措施，在依靠资源及要素驱动实现经济增长的时期有效地带动了东部沿海地区及城市区域的经济增长，但中国经济在实现加速增长的同时，社会经济的不平衡也在随之加剧。由于进入中等收入水平后未能及时转变经济增长动力，由此引发收入分配、区域发展、城乡经济发展不平衡等一系列问题，严重制约了中国经济的转型升级。有相关数据表示，中国的基尼系数在 2003 年、2006 年、2008 年、2009 年以及 2013 年分别为 0.479、0.487、0.491、0.490 和 0.473，早已突破国际警戒线 0.4，直至 2014 年、2015 年也仍为 0.469 和 0.462；按照联合国有关组织规定，基尼系数在 0.4 – 0.5 这个区间可以认为该国的收入差距较大，一般发达国家的基尼指数在 0.24 到 0.36 之间，可见要实现“中等收入陷阱”的跨越，向发达国家看齐的话，就需要降低基尼系数。另根据中国家庭动态跟踪调查（CFPS）2015 年的研究结论，我国目前的收入不平等有进一步扩大的趋势，

估算结果显示，中国家庭财产基尼系数从1995年的0.45扩大到2012年的0.73。顶端1%的家庭占有全国约三分之一的财产，底端25%的家庭拥有的财产总量仅在1%左右。中国城乡居民间收入分配差距过大、区域发展不平衡的加剧将给经济增长带来阻碍，不仅使人均收入水平拉低，由此也将加重社会的不稳定因素，即使开始重视这个问题也仍需要长期持续性改进才能使类似基尼系数达到国际警戒线以下。另外，城镇居民间、农村居民间以及城乡居民间的收入分配差距也在逐步拉大，尤其是城乡收入差距问题，如图4.4所示，1995至2012年间，中国的城乡收入差距（城镇居民可支配收入与农村居民纯收入之比）从2.71增加到3.10，2010年才迎来13年来首次下降，之后又出现反复，直至2013年回降至3.03，2014年为2.92，但仍处高位。这种收入分配的不均衡现象不仅体现在不同行业，也集中表现在区域发展的不协调上。区域间经济发展不平衡主要体现在东、中、西部区域经济发展不平衡，从沿海到内陆，收入差距在不断扩大。改革开放初期，我国西部地区人均产出相当于东部地区的50%以上，如今这一比重仍为41.5%（高太山，柳卸林，周江华，2014）。2011年东部、中部、西部以及东北部地区的城镇居民人均可支配收入比值为1.45:1.009:1.007:1，农村居民人均纯收入比值为1.83:1.24:1.11:1，东部地区收入水平无论是在城镇居民还是农村居民上都占据绝对优势；且从比值来看，农村居民比城镇居民区域之间的收入差距更大，最高值与最低值之间的比率城镇为1.45:1，农村为1.83:1，收入分配结构的不合理将使经济发展降速，最终陷入“中等收入陷阱”。发展的不平衡不仅体现在城乡收入、区域发展之间的差距上，还体现在城市化与工业化的严重脱节。我国过去由于国内工业基础十分薄弱、苏联实现重工业化的示范性作用、国际上强国的工业发达程度高、我国过去半殖民地的屈辱历史使得国民更加重视国防建设等原因，决定实施优先发展重工业的赶超型工业化战略，使得我国工业化水平超常规上升，也由此破坏了农业和农村发展的基础以及城市化的正常发展步调；以户籍制度、城乡差别劳动就业和福利保障制度、资金等生产要素从农村向城市过度输出实现了城乡分割体制，政府为了减少由于农民进城所带来的财政负担和市民平均福利水平的降低，而将农民阻挡在城外，这是阻碍我国城市化进程的最深刻原因。由此，城市化与工业化进程出现严重脱节，工业化水平远高于城市化水平，由此也带来了城市工业、农村农业的产业分布格局，导致第三产业发展落后、二元结构持续恶化等不良后果。以上这些条件严重制约了经济增长，如不及时解决这些问题，分配不公与两极化问题将会导致社会分化和冲突，而城市化进程对于工业化发展的滞后都将中断经济增长，掉入“中等收入陷阱”（郑秉文，2011）。

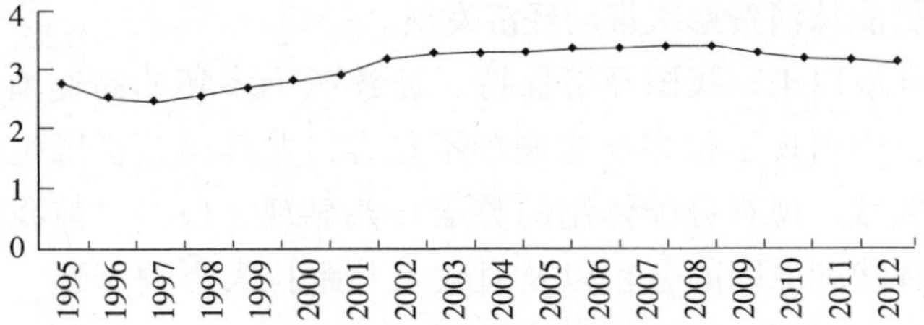

图 4.4　中国城乡收入比较

数据来源：历年《中国统计年鉴》

意识到发展不均衡问题对于经济增长的制约，我国“十一五”规划（2006～2010）提出要把构建和谐社会作为政府的首要任务，明确提出城乡发展差距、区域发展差距扩大的趋势有所缓和、收入分配格局正朝向合理有序发展，社会保障体系实现城市、乡村居民的全面覆盖；“十二五”规划（2011～2015）进一步指出要实施包容性增长战略，使发展成果惠及全体人民，要坚持发展为了人民，发展成果为人民所共享，逐步实现共同富裕，在经济政策方面完善最低基本工资增长机制，实施脱贫攻坚工程；“十三五”规划（2016～2020）更是明确了为全面建成小康社会各级政府要贯彻落实“精准扶贫”战略，增加扶贫投入，出台优惠政策措施，坚持中国制度优势，注重六个精准，坚持分类政策，因人因地、因贫困原因、因贫困类型施策等。在跨越期前后这一系列的政策演进凸显了解决收入差距过大问题的紧迫性。

由之前的分析已知，向发达国家看齐就要降低基尼系数，若发展不平衡持续的话，将制约中国经济转型升级，也将会加剧社会的不稳定因素，从而制约经济的顺利发展。除此之外，从推动经济增长的“三驾马车”中的“消费”来看，边际消费倾向反映的是收入增加对消费增加的影响程度，高收入水平消费者因边际消费倾向低，因为对于高收入家庭来说，基本消费需求已经获得满足，而奢侈品消费有限制，即使再增加收入水平也不会带来消费水平跨层次的提高；而对于低收入家庭来说，由于收入相对较低，长期处于消费不足状态，如果在这种情况下提高其收入水平，当然会更多地用于消费，所以，边际消费倾向自然高，由此带来的对经济增长的推动作用也更为显著。可见，提高低收入群体的收入水平，不仅直接改善其生活水平，缓和社会矛盾，更能从消费层次带动经济发展。

改革开放以来，我国经济保持了连续三十多年的高速增长。但同时经济社会中出现了很多不协调和不包容，尤其是关系民生的收入分配等诸多领域，现有分配体制的弊端日益显现。根据之前我们对我国收入分配现状和原因的分析以及对收入差距拉大影响跨越“中等收入陷阱”的机制路径，认为在包容性增长理念下的包容性创新能够对我国收入分配结构的调整起到至关重要的作用。

包容性创新最重要的一点就是实现“减贫”，倡导对弱势群体的关注。“减贫”并不是单纯地给予穷人物质上的补贴，而是要利用包容性创新等方式方法为其提供家庭收入水平持续提高、实现经济长远发展的机会。首先，从观念上来看，包容性创新本就隐含对低收入群体追求更高生活品质意愿的尊重，不应把穷人仅仅看作贫困生活状态下的受助者和被怜悯者，他们还是具备包容性创新所需各类关键资源和能力的市场参与者，低收入群体不是需要被解决的问题，而是解决问题的组成部分之一，包容性创新应是企业和穷人共同进行价值创造的过程；其次，从包容性创新活动来看，通过创新的思想、方式为穷人提供平等参与市场经济的机会，因为低收入群体，尤其是处于低收入水平的农民，受制于本地教育环境或经济环境的限制，无法享有有效参与正规市场并享受益处的能力和机会，而这并非是低收入群体通过自身努力就能改变的局面，唯有通过外部力量，比如包容性创新来从客观上降低或消除市场机会的不平等现象；最后，从企业的角度来看，不应把针对低收入群体的包容性创新视为企业社会责任感和慈善的体现，而应看作企业构筑长远竞争优势的创新行为，在高收入群体所处市场的竞争越来越激烈，所蕴涵的市场潜力也日趋饱和，此时 BOP 市场为企业发展提供了新的可能，BOP 市场的环境特质为企业提供了成长与创新空间，有助于企业积累新的资源与能力以赢得新的竞争优势，让企业意识到包容性创新将有助于低收入群体收入水平提高和企业实现新盈利点的双赢局面。由此可知，无论是从包容性创新的概念，还是从企业的角度出发，包容性创新都具有一定的可行性，通过一系列针对低收入群体的包容性创新活动，从而遏制城乡收入差距不断扩大的现象，最终促进不发达地区的经济增长，实现区域经济的协调发展，并顺利跨越“中等收入陷阱”。

包容性创新对实现均衡发展的影响主要存在三个方面：第一，政府对 BOP 群体的财政支持由于其人口基数庞大和环境资源限制，最重要的是财政支持只能解决一时的资金问题，而很难从“开源”的角度为其提供长远发展动力，由此很难形成普遍有效的政策效应。出于均衡发展角度的包容性制度创新为经济增长提供激励导向，使相关政策的乘数效应更直接、更长效地作用于底层群众，覆盖到那些直接购买和投资所不能及的地方。例如农业部的“一村一品”项目，是指在以村为单位的范围内，按市场需求，结合本地的资源优势、传统优势和地理位置优势等，使得一个村或几个村进行规模化、标准化、品牌化和市场化生产，形成一个或几个区域特色明显、附加值高的主导产品或产业。早在 2011 年 8 月，我国农业部就公布了包括北京市密云县穆家峪镇庄头峪村在内的 322 个村镇为全国“一村一品”示范村镇，该项目在提高农村生产竞争力的同时，创新农村经济发展模式，实现农村经济自力更生式的发展。第二，包容性创新将低收入群体视为价值的消费者。作为消费者，企业和市场为其提供产品和服务，如印度 Godrej & Boyce 公司。该家公司最初通过为印度的高收入家庭引入海外开发的科技产品而占有一定的市场份额，但随着其他低成本竞争对手的加入，他们的市场份额开始不断缩小，此时他们意识到印度 80% 的家庭没有冰箱，原因是传统冰箱超出了大部分印度人的价格承受上限，而且偏远农村的电力供应时常中断、交通运输条件有限，于是他们采用了创新手法，生产出一款采用低廉固态制冷技术以缩减成本、用长效电池取代对电力需求、由覆盖所有乡村的邮局销售来解决运输问题的 ChotuKool 冰箱，在解决印度大规模无电人口食物保存需求的同时，还使企业的创新溢价指数由 40% 提升至 60%，甚至解决了偏远地区疫苗和药品储存、运输的难题，改善农村地区居民的医疗卫生条件。结合包容性市场创新，以及包容性技术创新，一方面企业具有专门针对低收入群体的产品设计和后续的市场宣传，调动低收入群体的消费积极性，从消费的层面降低低收入群体心理的“被排斥”感；另一方面，企业能够通过技术水平提升真正实现“用更少、为更多”，企业的成本降低才能为低收入群体提供“消费得起”的产品，为广大低收入群体提供更为直接的改善生活水平的产品。第三，低收入群体作为劳动力，则为其提供平等参与市场机会。对低收入群体的帮扶不能仅仅依靠“给予”，而是要让低收入群体自身具有“创收”的能力，如泰国的“皇家高地”项目与“乡村基金”的结合为低收入群体提供自主创业的便利条件，中国的阿里巴巴、南京九康生物科技发展公司采用“企业+农户”的生产模式通过向当地农民提供楝树种植外包机会而为他们提供了大量的就业与创收机会。“草根创新”作为包容性创新活动的主要形式，此类创新的进入门槛较低，BOP 群体通过参与草根创新能获得直接的经济回报，从而提升这一群体的收入水平，进一步缩小收入差距。

综上所述，包容性创新主要从直接的政策作用、消费改善生活质量以及低收入群体创收三方面，引导适度提高城市化水平，缩小城乡收入差距，实现各区域协调发展。“十三五”期间提出的攻坚扶贫和精准扶贫政策，要求以实现均衡发展战略促进“共同富裕”，顺利跨越“中等收入陷阱”。

三、包容性创新促进产业结构优化升级

经济增长在现代来看，应以产业结构调整为核心，经济增长与产业结构升级是同一个过程。学术界对此进行的研究分别有：在定量研究方面，钱纳里（1988）认为经济增长的过程就是经济结构、产业结构转变的过程，结构的转变又推动经济发展，包括罗斯托等人采用以结构到总量的方法分析企业的主导部门通过基于创新而产生的扩散效应推动产业结构转变，加速经济增长；在定性研究方面，马晓河（2010）通过对比典型中等收入阶段经济体的特征发现大多数国家经济结构转换滞后，一直停滞在中等收入水平阶段，只有少数国家，例如

日本、韩国等国采用产业结构转型升级进入了高收入经济体行列，东亚国家和地区每十年就实现一次产业结构的变革，推动国民经济的持续发展。而在市场经济条件下，经济增长主要取决于各种资源、要素、技术等的有效配置，而产业结构的变动很大程度上决定了资源配置的效率（Heeks R，Foster C，Nugroho Y.，2014）。现阶段中国产业结构优化升级的关键在于从粗放型生产经营向集约型转变，是一个效率提升的过程，当产业结构适应社会需求结构变化实现合理调整和及时转换时，社会资源就能得到更有效合理的配置，单位资源的产出效益就能提高，从而促进经济增长；反之，就会降低资源配置的效果，影响经济的持续、稳定、快速增长（唐未兵，傅元海，王展祥，2014）。世界经济现今处于和平发展和低碳经济时代，随着资源约束的进一步加剧，西方国家在早期所采用的掠夺式、高能耗发展模式已不能适应新阶段要求，一方面过度使用能源，造成后期发展的资源瓶颈，另一方面环境被破坏，不仅威胁到人类的生存条件，也制约了经济发展。另外从日、韩两国通过优化产业结构成功跨越“中等收入陷阱”的途径来看，发展中国家若要顺利实现向高收入水平的跨越，必须走产业升级的道路。

产业结构优化升级包括实现产业结构合理化与高级化。产业结构合理化主要依靠技术进步与比较优势的变化来实现，通过产业之间的调整以实现各产业协调发展，而产业结构高级化应是通过技术进步与技术创新等手段使得产业结构整体素质和效率向更高层次不断演进，由以第一次产业为主向以第二次产业为主、继而向以第三次产业为主的转变。产业结构优化最终将达成减少资源和能源的使用以获得更大经济效益的目的，即实现产出投入比的最大化。而产业结构的优化升级其核心是新技术的开发、引进、应用、扩散引起的高新技术产业发展，进而改造或取代传统产业。从国民经济来看，相应的产出效率、附加价值、市场竞争力的提高促进产业结构合理化，同时兼顾充分就业、节约资源、改善环境等功能，这主要依靠技术创新、科技创新的带动。所以从新技术的应用和优化资源配置效率的角度来说，产业结构的优化升级是以技术创新为前提的。在跨越期，推动产业结构优化升级的主要助力来自于技术创新，随着经济不断增长，劳动生产率逐步提高，工业化程度随之提升，一旦生产形成一定的规模后，技术的吸收和自主创新的能力不断增强，产业结构也由此得到优化调整，最终实现跨越“中等收入陷阱”。

中国产业结构不断高级化。如图 4.5 所示，我国在跨越期前后，三大产业占 GDP 的比重虽然遵循了由第一产业向第二产业、继而向第三产业升级的趋势，但第一产业仍未实现突破发展，因为我国是农业大国，农业在我国的产业结构中的占比相较于高收入水平国家而言仍相对较高；且我国农村人口众多，劳动力的非农化步伐十分缓慢，2011 年我国的乡村人口比重仍为 49%。第二产业向第三产业升级的态势并不明显，大部分省市第二产业仍占主导地位，第三产业占比最高达到 46.1%，而在同期，发达国家的第三产业占比一般在 60% 以上，中等收入国家平均在 50% 左右；我国的第二产业中尤以制造业比重突出，我国一度采用出口导向型经济增长战略，制造业因劳动力成本较低而一直以低成本竞争模式在加工贸易中居于重要地位；随着劳动力工资成本的提高，低成本的竞争优势逐渐消失，而技术密集型产品又无法赶超其他经济大国，如不及时转变，将面临发展瓶颈。第三产业随总体发展，但发展状况参差不齐。金融机制的不完善、市场透明度不高以及服务业服务问题突出等，这些都说明中国的产业结构与发达国家相比还存在差距，产业结构层次较低导致一个国家被“中等收入陷阱”锁定。在跨越期我国应该重视依靠技术创新加快产业结构高级化的方针，在促进第二产业向第三产业转型升级的同时，关注第一产业的现代化进程。创新型企业应通过扩散效应推动产业结构优化升级，进而有效化解产能过剩所带来的负面影响，从而加速经济增长；借鉴已成功迈进高收入水平国家的经验，日本的产业结构经历了从 1970 年以重化工业为主、到 70 年代集中发展节能型技术和知识密集型产业、再到 1985 年后集中到知识密集和节能环保型产业上，从重工业主导逐渐转变为以技术密集型产业为主导的产业结构，韩国也走过了“轻工业——重工业——现代服务业——新型战略产业”的发展路径，顺利从以劳动密集型产业为主过渡到以资本密集型、资本技术密集型产业为主，两国分别在大约 12 年和 8 年的时间内实现了“中等收入陷阱”的跨越。而我国目前产业结构优化升级难度逐渐加大，面临着劳动力成本上升、企业创新能力不足的难题，既失去了低端产品市场，又难以与高收入国家在高端产品市场上相抗衡，而且在之后的发展阶段，还将面临资金和技术供给不足造成的产业结构优化升级缓慢，这些都向我国未来的产业结构优化升级道路提出了新的难题和挑战。归结起来，除了国家需在相关政策法规上提供融资鼓励，未来的发展重点更应在努力提高自身技术创新能力上。

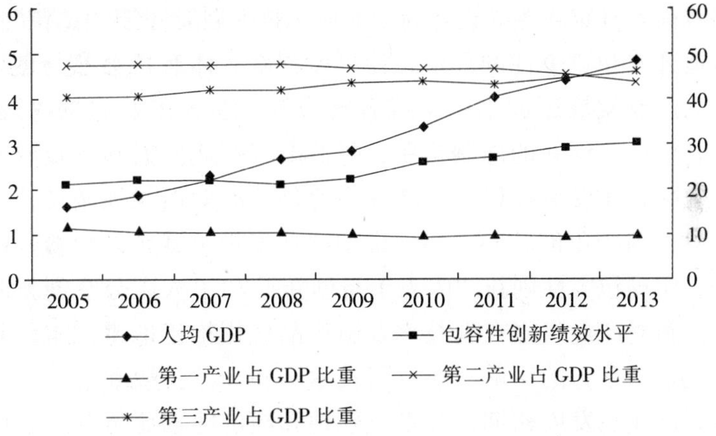

图 4.5　包容性创新、经济增长与产业结构升级

产业本身的多样性、发展的阶段性和用户的层次性等使包容性创新与产业发展之间存在紧密关系。首先，包容性创新成为促进产业发展的路径之一。包容性创新是利用科学、技术和创新诀窍以解决低收入群体的需求。对产业而言，通过创新为低收入群体提供买得起的产品，可能创造一个新市场，从而促进一个产业或者产业细分领域的发展，这里称之为包容性的创业创新，包括“自上而下”和“自下而上”两种模式。“自上而下”模式是由政府组织或者支持的创新活动，主要针对具有较强外部性的产品，该类产品创新在完全市场竞争环境下，可能由于需要大量投入，也可能市场范围较小，企业很难通过创新实现经济效益，因此需要政府主导的创新，重在满足社会需求。“自下而上”模式是市场自发的创新活动，通过产品功能、设计、制造工艺或者商业模式的创新，降低产品成本，从而降低产品价格，让更多用户能够用得起，扩大了用户群体或者创造了细分用户市场。其次，新兴产业发展需要包容性创新。从产业发展阶段出发，通常认为处于

形成期和成长期的产业，即新兴产业，由于技术和市场不成熟、产业体系不完善等原因，需要政策扶持和保护才能快速发展，逐渐使产业进入成熟阶段。从包容性创新角度看，通过创新政策支持新兴产业发展包括两个方面。其一，为新兴产业发展创造公平的竞争环境，实现包容性创新“人人参与创新”的目标。新兴产业是随着新的科研成果和新兴技术的发明、应用而出现的新的部门和行业，尤其在发展初期技术路线尚未确定或主导设计尚未形成，技术创新处于“试错”阶段，需要营造开放和竞争性的环境，让更多创新主体有机会参与创新。同时，新兴产业发展还面临资金或者规模等壁垒，需要通过政策支持，创造有利于产业创新的体制机制，降低新兴产业发展的资金或者规模壁垒，破除产业发展障碍，为新兴产业创造有效的发展条件，让更多的主体参与到产业创新中，共同推动产业发展。其二，为新兴产业创造市场，实现包容性创新“人人参与创新”和“人人分享创新”的双重目标。新兴产业建立在新技术及新产品应用推广的基础上，其发展不但受到技术创新的影响，还受新技术和新产品扩散和推广速度的影响。新兴产业在发展初期，技术成熟性和经济性相比传统产业而言不具备竞争优势，市场进入门槛较高，通过新技术和新产品的推广，既可以为新兴产业创造市场，降低创新市场进入的门槛，让更多创新者从市场中获益，也可以让更多人分享新技术和新产品的成果，实现包容性创新“人人分享创新”的目标。

在中国广泛参与全球化经济的今天，竞争日趋激烈，产业结构的优化升级应充分考虑社会各阶层的利益，尤其是弱势群体的利益，不应盲目追求经济的增长而过度依附于工业化进程，因为单纯通过工业化实现的经济增长是非包容的，正确的路径是通过增加就业岗位量和让普通民众，尤其是低收入群体参与经济增长的过程、分享经济增长成果。从包容性创新的“创新”角度来看，技术创新、市场创新、制度创新、组织创新都能在一定程度上实现从粗放型生产经营向集约型转变，进一步促使企业淘汰落后产能，提高资源利用率，降低单位GDP能耗，从供给侧实施产品创新，优化产业结构，高效利用资源在增加产出的同时也节约成本投入，实现跨越“中等收入陷阱”；而且此时的创新将以“人人参与创新、人人共享创新成果”为核心，更能从低收入群体利益出发，实现经济的包容性、可持续性增长。包容性创新促进产业结构优化升级的作用主要体现为三点：第一，包容性创新本身是一种技术创新，它源自前沿技术和重大的新技术突破，因此包容性创新的实施将遵循“个体创新——产业结构升级——宏观经济增长”的发展路径，而包容性创新的成果——包容性产品注重建立以产品服务为导向的开发理念也将助力企业转变发展模式，促进产业结构优化。具体来看，产业结构优化在包容性创新的作用下，主要体现在农业现代化发展，因为农业是关系到国计民生的大事，而且与农民生活紧密相关。包容性创新将在技术创新基础上发展现代农业，例如1986年的星火计划就旨在传播适应于农业发展的先进技术，推动农村产业结构调整、增加农民收入、促进农村经济持续健康发展、加强科技成果在农村经济的应用转化率、推动科教兴农良好氛围的形成，围绕农副产品加工、综合利用农村资源、发展农村特色产业，大幅提高我国农村生产力水平。2001年天津郊区建立的天津津南国家农业科技园，是我国首批启动国家级农业科技园区之一，本着“因地制宜，持续发展”的原则，将高起点、高标准、高投入、高质量与实际、实用、实效相结合，以农业环保产业技术为保证，旨在促进农业产业化和商业化，进而实现农业结构调整、农业整体效益提高、农民收入提高的目标。第二，包容性创新的实施面向广大BOP群体，其创新活动能够提高农业、工业特别是中小企业、非正规行业和农民的竞争力，这将有力地促进第一产业现代化，优化第二产业产能，为第三产业提供劳动力，从而推动整体产业结构的高级化。例如舜华鸭业发展有限公司提出“公司+协会+农场”的产业发展模式，根据公司市场需求预测，协会与农场约定本年度生产所需数量和相关质量要求，协会将生产任务落实到各个农场农户，公司为农户提供技术培训，由农户规模生产，协会收购，公司生产与销售，减少了利益主体，实现规模效益，在发展第一产业的同时促进第二产业的专业化分工。印度的纺织业通过使用微型纺纱机将棉花纺线这一步骤分散到农村，就地使用原材料节约了原材料运输成本，在优化作为第二产业的纺织业产能同时，也为低收入群体提供在第二产业领域的绝对就业机会，提高其收入水平。第三，包容性创新中所倡导的可持续发展和对环境保护的强调也符合产业结构优化升级中减少对不可再生能源的保护和改善环境的要求。例如我国黄土高原的雨水收集利用技术，由三大部分构成：一是雨水的收集，通过营造田间微型集流面将降水集流并存储在土壤中，或者是采用人工修建的防渗集流面将雨水集中在水窖中供农作物灌溉；二是雨水储蓄技术，通过修筑水池、涝池等蓄水工程措施进行储水；三是雨水高效集约利用技术，即节水灌溉技术和节水农艺技术，实现水资源在农业生产中的节约、合理利用。“生命吸管”就是一项无需电力或定期人工替换零件就可实现饮用自来水过滤的节能型装置，而且操作简便，只要将其伸进水里，将水通过三个过滤器吸上来即可过滤污水中99.99%的寄生虫和细菌，有效防止痢疾的发生，不仅解决了居住偏远地区的低收入群体饮水问题，在发生自然灾害地区还能为受难者提供安全的饮用水，2010年海地地震、2010年巴基斯坦洪水和2011年泰国洪水中该技术都被广泛应用。

本章小结

本章是全书的重点理论分析部分，因此笔者基于跨越“中等收入陷阱”角度，通过对已有现实基础、理论基础的分析与整合，对包容性创新促进经济增长的影响机制进行了理论分析。包容性创新是创新驱动的一种，重点联系现实基础部分的国际成功跨越“中等收入陷阱”经验、理论基础部分的包容性创新概念与内涵，得出其实现经济增长，进而助推跨越“中等收入陷阱”的三个主要路径：一是包容性创新通过为私营企业提供广阔的BOP市场、包容性创新产品改善低收入群体生活质量、增强低收入群体的社会参与感来实现拉动内需；二是从政府政策所产生的效应、低收入群体作为消费者以及低收入群体作为劳动者实现均衡发展；三是在促进产业结构优化升级方面，首先通过实现现代农业促进产业结构优化，其次通过优化第二产业产能与为第三产业提供劳动力实现产业结构升级，最后强调可持续发展与环境保护。本章的研究重点在于图4.5的影响机制理论模型图，该图是对整个影响机制研究的概括，研究的目的是为后文实证模型构建奠定理论基础。

第五章　包容性创新促进经济增长影响机制实证分析

本章主要内容是在前文对包容性创新促进经济增长影响机制理论分析的基础上对其在跨越“中等收入陷阱”的三条路径上分别进行实证检验。首先，根据相关学者的研究结论，结合本书的研究实际构建了包容性创新绩效水平指标体系，并从相关统计年鉴中提取关联变量，为实证分析获得相关数据；其次，根据文章所要验证的包容性创新促进经济增长影响机制理论假设，基于2005～2013年30个省份的面板数据进行了实证检验，参考温忠麟（2004）对中介效应的检验程序，构建并运用固定效应回归模型来进行实证研究。

第一节　包容性创新能力的测度

为了客观地衡量一个地区包容性创新能力，可以通过构建指标体系来进行测度。包容性创新能力是从创新的角度来衡量某一国家或区域致力于包容性发展的能力的重要指标。对包容性创新能力的评价有助于客观地认识包容性创新能力的水平、差距、影响因素等问题，测度指标中维度的选取对于地区差异形成的原因及由此带来的一系列影响将会有更深刻的认识，并为相关政策的制定提供参考依据。

一、理论模型与指标体系构建

包容性创新有两层含义：一是在创新导向方面，面向中低收入群体的需求，通过产品创新、服务创新、组织创新和商业模式创新提供具有价格优势的产品，服务于中低收入群体的需求。二是在创新参与的主体方面，强调将社会基层组织（如社团，地方行业协会，NGO 组织）或个人纳入到创新活动中。作为面向低收入群体与市场进行多元价值创造的全新创新形态，包容性创新通过为中低收入群体提供平等参与市场的机会来提高收入、提升能力与扩大权利，强调把技术、市场与社会创新融合在一起，在促进经济发展与社会进步中承担角色与责任。其核心理念是面向更多的人创造更多物美价廉的产品和服务（英文缩写 MLM，全称 getting More performance for Less cost for More people）。与传统创新相比，George 等认为包容性创新的最大差别在于，传统的创新主要以推动经济发展为目的，创新导向聚焦于能够带来利润、并有一定购买力的群体；包容性创新则是在推动经济发展的背景下，致力于解决社会的不平衡问题，推进中低收入群体社会福利的增长。所以，包容性创新更多地考虑社会责任的实现，专注于创造新的市场，注重产品的价格优势和产品销售的可持续性，强调创新成果的普惠性和经济上的可接受性。

包容性创新涉及要素较多，有学者试图从创新系统的视角进一步阐述其含义。比如，Dutz（2005）认为，推进包容性创新需要改善投资环境，强化知识创新与传播，同时需要通过技能教育、通信设施建设和创新融资等多个方面提供支持机制。国内学者邢小强等（2013）把包容性创新系统（inclusive innovation system，简称 IIS）定义为在中低收入区域内由相互合作与学习的企业、中低收入群体或社区、政府与非政府组织 NGO 及其他辅助性专业机构等构成，通过技术、市场、制度与组织等的系统创新而实现经济、社会与环境等多元价值创造与分享的网络体系，并从创新主体、创新活动、运行机制三个方面阐述了面向中低收入群体的包容性创新系统的结构、演化过程和阶段特征。邵希等（2011）认为包容性区域创新体系是由区域内各个与包容性创新相关的主体及其相互联系作用组成的网络系统，通过知识和技术的创造、储备、转移及扩散、应用，提升区域中包容性创新能力和创新效率，最终实现包容性增长。包括四个子系统：创新主体子系统、创新支撑子系统、创新环境子系统和各种链接流。

包容性创新是面向中低收入群体的创新，市场需求主要集中在农村。首先，中低收入群体主要分布在农村。2005 年，由美国环保智库世界资源研究所（World Resources Institute）和国际金融公司（International Finance Corporation）联合发布的报告《下一个四十亿》，把中国日均收入在 2.11 美元（按照当地购买力换算）以下的人群都划为了中低收入群体，当时中国大约有六亿多人在这个层次。近年来，随着中国经济的发展和国民收入的提高，即使不考虑物价指数，按照世界资源研究所的标准，低收入群体的总数也不会少于四亿人，其中，农村人口占大多数。其次，当前中国城乡消费差别较大。根据国家统计局发布的数据，虽然 2010 年城镇居民家庭和农村居民家庭恩格尔系数仅相差 5%，低于 1978 年 10% 的差额，但是城乡收入的差别使得农村居民家庭消费支出远低于城镇居民家庭消费支出。再次，Hammond 等认为低收入群体的需求主要包括食物、水、能源、住房、交通、健康和信息通讯等，其中对食物的需求超过总需求的 50%，而包容性创新的目的就是让公众有同等机会享受社会福利、医疗、住房、教育等公共服务。因此，中国农村市场蕴含着巨大的市场需求，如何满足这部分需求成为对包容性创新的挑战。反过来讲，一个地区对农村市场需求的满足程度反映了该地区包容性创新的能力。

针对包容性创新系统，虽然国内外学者的观点略有不同，但均强调创新环境和支撑条件的重要性，同时需要考虑到中低收入群体的需求。为此，本书围绕中低收入群体的需求，从创新系统角度构建相关评价指标体系，提出了包含包容性创新投入、包容性创新环境、包容性创新产出在内的三维模型，如图 5.1 所示。

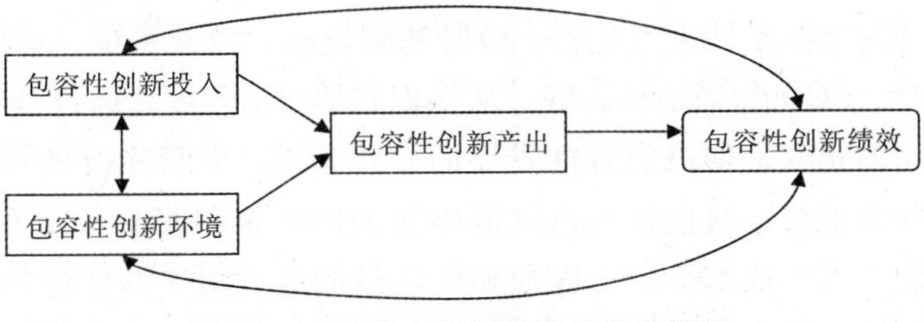

图 5.1　包容性创新绩效测度理论模型

除此之外，因考虑到数据的可获得性以及包容性创新活动中技术创新本就占有大量比例，故在构建评价指标体系时对包容性技术创新的指标选取居多；在低收入群体选取上，考虑到市场需求主要在农村，农村人口占低收入群体的90%，故指标体系对农村群体的针对性更强。

1. **包容性创新投入——前提与核心**

包容性创新投入应包括人力投入以及物力投入。只有在前期进行了大量的投入，才能确保创新成果的有效性和实用性，因此，包容性创新投入既是前提，又是决定创新成果的核心关键。

包容性创新的人力投入即指包容性创新的主体投入，这是包容性创新的核心。包容性创新的主体是直接参与到包容性创新活动中的个体（或群体）、企业、政府和研究机构等。企业、研发机构和高校是知识创造与技术创新的主体，政府主要是包容性制度与政策创新的主体。企业、研究机构、高等学校通常被认为是创新活动的三大执行部门，然而基层群体也可能成为创新过程中的重要贡献者，尽管中低收入者的创新能力受到如学习能力、学习空间、参与机会等多方面因素的限制。现有的创新理论和实证研究表明创新产生于多样化的创新主体之间的互动与学习。包容性的创新将作为消费者和工人的市民纳入到创新过程，并促进其学习过程，以实现社会经济的发展。因此，考虑包容性创新多样化创新主体间的互动，应将企业、BOP群体、政府、NGO组织（邢小强等，2010）以及从事知识创造与技术创新的相关研发机构、高校包括进来。

包容性创新的物力投入即指包容性创新的支撑条件，这是包容性创新的前提。包容性创新的支撑条件是指间接参与包容性创新过程，并对创新要素的投入与产出配置的干预，从而影响创新的整个过程。创新活动的支撑条件主要包括：科研基础设施、教育系统、金融机构、市场中介、NGO和当地社区等。从知识和学习的角度，通过基础教育，提高知识的获取是促进包容性发展的必要条件。教育系统的设计对包容性发展很重要，这包括与边缘群体有关的教学内容和教学方法，注重对技能工人、技术员、工程师和设计员的培训对于商业部门技术创新非常关键。因此，考虑到物力投入包括资金投入与技术投入，资金投入应包括政府财政、企业R&D经费以及金融机构资金，技术投入则是相关技术的引进，因创新路径遵循“引进——消化——吸收——再创新”的路径，因此相关的技术引进也是一种前期投入。

由此，包容性创新投入相关指标选取如下：人力投入包括“有研发机构的工业企业数”“地方部门所属 R&D（研究与开发）机构数量”“R&D 人员全时当量”“15－64 岁人口占比”；资金投入包括“R&D 经费内部支出额”“财政科学技术支出额”“星火计划实际落实资金金额”以及“中国农业发展银行与农村信用合作社贷款余额之和”，其中金融机构的资金支持考虑到农业发展银行和农村信用社在低收入群体集中的农村所占的比重较大，而且基于数据的可获得性与连续性，故选取此作为指标之一；技术投入则是“工业企业技术引进经费支出额”。

2. **包容性创新环境——支撑**

包容性创新环境不参与创新过程，但却影响和支配着包容性创新系统内部要素间的相互作用和整个系统的运行方式及功能，主要包括创新基础设施、创新资源和创新激励约束机制。其中创新基础设施包括信息网络、交通、图书馆、实验室等基础设施和科研条件；创新资源包括人才、资金、专利、信息等；创新激励机制是政策与法规、管理体制、市场与服务等激励约束体系的统称，主要由政府与中介机构提供。Naik 等的研究表明，近年来企业和政府开始关注农村居民的需求，致力于通信等基础设施建设和政府的公众服务意识。Hammond 等认为通信、交通是中低收入群体需求的重要组成部分，基础设施是否完善关系到包容性创新的实现。包容性创新环境间接影响到创新体系内各要素间的相互作用，保障创新体系正常运行，并对包容性创新成果具有一定的直接影响作用。其中金融发展指标主要考虑农村地区，这是由于该地区较具有代表性。已有研究证明金融发展对创新具有正向影响（钱水土等，2011；孙伍琴等，2008），故选取金融发展规模和金融发展效率两指标。当然，在指标考量时也将部分非技术创新内容包括进来。

根据数据可获得性，以及顾虑到测度时可能会出现重复计算，将包容性创新环境指标归类如下：一是市场环境，包括“固定电话与移动电话年末用户数”“互联网上网人数”“道路交通建设”（人均公路

+人均铁路长度)、“乡村医生与卫生员数”“农村金融发展规模”以及“农村金融发展效率”，其中考虑到农村信用社在农村金融所占比重较高，且基于数据的连续性和可得性，“农村金融发展规模 =（农业发展银行贷款余额 + 农村信用社贷款余额 + 金融机构农村储蓄存款余额）/第一产业增加值”，“农村金融发展效率 = 农村信用社贷款余额/农村信用社存款余额”；二是技术环境，这里只纳入“技术市场成交金额”；三是教育环境，包括“普通高等学校数”（理工农医类 + 人文社科类）以及“普通高等学校专任教师数”。

3. 包容性创新产出——能力体现

创新的产出水平是对创新投入要素最终收益的综合体现。专利产出、技术转让、新产品等指标常常用来衡量创新产出。包容性创新水平是面向中低收入群体的创新和来自包含了中低收入群体创新者的创新。因此，可以从民间专利申请数量来衡量民间创新者的数量与水平潜力，从中低技术专利来衡量国家和区域创新系统中面向中低阶层的创新水平。包容性创新产出是创新投入与创新环境相互作用的最终成果，是对包容性创新能力的直接体现。包容性创新投入和包容性创新环境因数据可获得性，但创新本身具有的外溢性，部分因素无法具体针对低收入群体衡量，因此因素更具宏观性，但在包容性创新产出中，却可以有更具针对性的划分，且同上，也将考虑非技术创新带来的成果。

包容性创新产出划分如下：一是科技产出，包括“非职务专利授权数”“实用型专利授权数”；二是社会产出，包括“农村家庭人均纯收入”“农村居民家庭恩格尔系数”“农村社会养老保险参保人员占比”“新型农村合作医疗人均筹资额”“乡村从业人员数”“第三产业占 GDP 比重”“城镇登记失业率”。其中“农村居民家庭恩格尔系数”（农村居民家庭平均每人食品消费支出/农村居民家庭平均每人消费支出）用来衡量包容性创新为低收入群体需求带来的影响；“第三产业占 GDP 比重”来衡量经济增长持续性，二者呈正比。

二、数据收集与处理

研究和建立包容性创新能力评价指标体系具有重要的现实意义。

一方面，运用一套指标体系来对包容性创新能力进行测度有助于人们深入认识包容性创新能力的构成要素及其功能，从而为后续相关政策的制定和实施提供支撑；另一方面，指标体系可以作为一套标准，便于对包容性创新能力的时间动态、空间差异进行量化分析与评价，有助于发现其中存在的一些关键问题。包容性创新能力指标体系是用来衡量一个国家或区域致力于向更多的人创造更多的廉价产品和服务的创新活动，即包容性创新活动在创新投入、创新环境、创新产出等方面的进展与发展趋势，可为包容性发展政策的制定提供一定的参考依据。包容性创新能力评价指标体系的建立应遵循一定的原则，即：包容性原则、系统性原则和可操作性原则。首先，包容性创新强调创新模式、创新过程和创新目标是面向全社会，特别是要考虑弱势群体的一种创新，所以评价指标的选取要将创新过程中的包容性作为指标选取的重要依据。其次，包容性创新能力是多方面能力的综合体现，是由一个复杂的能力系统构成的。在选择指标和确定指标体系时，要综合考虑其整体性和系统性原则，同时也要兼顾指标信息的全面性与指标评价简便性的结合；包容性指标体系的设置还需要充分考虑资料的可获取性、有效性和公正性，设立可以量化的评价指标，可以通过数据、信息采集能够进行量化处理的指标。

依据上述原则，本书建立了包容性创新能力评价指标体系。为衡量区域之间差异，相关省级包容性创新水平能力数据主要来自于2005~2013年的《中国科技统计年鉴》《中国人口和就业统计年鉴》《中国城市（镇）生活与价格年鉴》《中国科技统计年鉴》《中国统计年鉴》《中国社会统计年鉴》《中国教育经费统计年鉴》《中国人口和就业统计年鉴》等统计年鉴。本书部分数据在报告期内存在缺失现象，为保证指标的准确性与科学性，已进行相应技术处理。表5-1列出了指标划分标准、具体指标及其来源。

表 5-1 区域包容性创新绩效评价指标体系和数据来源

一级指标	指标要素层	二级指标	数据来源
包容性创新投入	人员投入	有研发机构的工业企业数	中国科技统计年鉴
		地方部门所属 R&D 机构数量	中国科技统计年鉴
		R&D 人员全时当量	中国科技统计年鉴
		15~64 岁人口占比	中国统计年鉴
	资金投入	R&D 经费内部支出额	中国科技统计年鉴
		财政科学技术支出额	中国统计年鉴
		农业发展银行、农村信用社贷款余额	中国金融年鉴
		星火计划国家实际落实资金金额	中国科技统计年鉴
	技术投入	工业企业技术引进经费支出额	中国科技统计年鉴
包容性创新环境	市场环境	固定电话、移动电话年末用户数	中国统计年鉴
		互联网上网人数	中国统计年鉴
		道路交通建设（人均公路长度 + 人均铁路长度）	中国统计年鉴
		乡村医生与卫生员个数	中国统计年鉴
		农村金融发展规模	中国金融年鉴
		农村金融发展效率	中国金融年鉴
	技术环境	技术市场成交金额	中国科技统计年鉴
	教育环境	普通高等学校数	中国科技统计年鉴
		普通高等学校专任教师数	中国统计年鉴
包容性创新产出	科技产出	非职务专利授权数	专利统计年报
		实用新型专利授权数	专利统计年报
	社会产出	城镇登记失业率	中国统计年鉴
		农村居民家庭人均纯收入	中国统计年鉴
		农村居民恩格尔系数	中国统计年鉴
		农村社会养老保险参保人员占比	中国统计年鉴、中国劳动统计年鉴
		新型农村合作医疗人均筹资额	中国统计年鉴、中国卫生统计年鉴
		第三产业占 GDP 比重	中国统计年鉴
		乡村从业人员	中国统计年鉴

创新绩效的测度方法有很多，包括数据包络分析（DEA）、主成分分析、松弛变量度量法（SBM）、定基综合指数法和加权综合评价法等。本书参照中国区域创新能力报告，采用加权综合评价法（synthetical index method）对各地区包容性创新绩效进行测度。加权综合评价法是指在确定一套合理的效益指标体系的基础上，对各项指标个体指数加权平均，计算出综合值。一般来说，综合值越大，绩效越好。

数据处理过程分为三步：首先，对数据进行无量纲化处理，使不同计量单位、性质的指标值标准化。对不同类型的指标有不同的处理方法。一般地，按照指标对区域包容性评价能力的不同作用方向，将指标分为两种类型：一是正向指标，即指标值越大意味着包容性创新能力越强的指标；二是逆向指标，即指标值越大却意味着包容性创新能力越弱的指标。

对于正向指标，即指标值越大则包容性创新能力越高的指标，具体公式为：

$$y_i = \frac{x_i - x_{\min}}{x_{\max} - x_{\min}}$$

对于逆向指标,则指标值越小则包容性创新能力越高的指标,具体公式为：

$$y_i = \frac{x_{\max} - x_i}{x_{\max} - x_{\min}}$$

其中,$x_{\max}$代表指标中出现的最大值,$x_{\min}$代表指标中出现的最小值,$i(i = 2005 \cdots 2013)$代表当期。

其次，加权求和，各项指标的权数是根据其重要程度决定的，体现了各项指标在经济效益综合值中作用的大小。本书试探性地对地区包容性创新绩效进行测度，根据已有研究（高太山，柳卸林，周江华，2014；邹秀萍等，2013）和专家建议，我们采用等权重的方式。最后，将各维度指标值加总求和，转化成一个总指数，以衡量地区包容性创新能力。

三、测度结果及分析

基于上述方法和指标统计数据，对我国31个省（市、自治区）的包容性创新绩效进行了评价和排序。测度结果如表5-2所示，从综合排名来看，排名前六的是广东、江苏、北京、山东、浙江、上海，排名最末六名是新疆、贵州、西藏、宁夏、青海、海南，我国包容性创新的地区绩效水平呈沿海到中部地区，到西部地区递减的趋势。可以得出初步推论：

第一，各地区的包容性创新能力存在较大的差距，总体上可以将全国划分为四个梯级，按其包容性创新能力的强弱依次为东南沿海地区、东中部地区、西南地区和西北地区。

第二，地区包容性创新可能与地区本身创新能力、开放水平、经济基础等有关，如广东、江苏、北京、山东、浙江、上海等沿海省份因自身地理优势，科教、经济基础受到对外开放带来的贸易额增加、技术引进等影响，故包容性创新能力在全国领先，这一方面是因为这些省份本身具备优异的创新能力，另一方面也说明了包容性创新与一般意义上的创新有着紧密的联系，而越往西部与内陆地区，本身经济与技术基础薄弱，包容性创新能力也不强。

第三，包容性创新水平呈片状划分，印证了创新能力存在辐射效应的理论，以沿海、华东、华南、华中、西南、西北等区域划分，相邻省份之间包容性创新水平也相近。

第四，前六名与后六名的对比可发现，前六名在八年时间内包容性创新能力上升了约50%~100%，而后六名包容性创新能力上升十分缓慢，贵州仅约为30%，青海则只有2个百分点，可见，包容性创新能力提升速度存在“马太效应”。除以上四点外，包容性创新水平与经济增长的关系将在后文进一步探究。

表5-2　中国各省份包容性创新绩效　　单位：%

地区	2013	2012	2011	2010	2009	2008	2007	2006	2005
广东	57.35	52.49	48.60	47.14	43.26	40.27	39.12	36.47	34.33
江苏	56.52	55.29	52.64	46.69	39.32	37.02	37.85	36.00	32.88
北京	52.09	46.10	45.29	45.04	37.55	34.65	34.38	31.99	31.89
山东	50.91	50.32	48.59	45.77	41.65	39.47	39.24	38.42	35.58
浙江	46.66	44.18	40.92	40.48	32.97	31.53	32.22	32.49	28.82

续表

地区	2013	2012	2011	2010	2009	2008	2007	2006	2005
上海	43. 83	39. 91	38. 10	35. 51	31. 71	28. 98	28. 77	25. 44	26. 98
河南	35. 22	35. 48	35. 26	34. 30	29. 90	27. 65	28. 23	29. 03	27. 47
辽宁	32. 19	29. 60	29. 90	28. 61	26. 96	25. 20	25. 12	25. 68	22. 47
河北	31. 28	28. 51	31. 24	29. 72	25. 53	23. 70	25. 04	25. 42	24. 06
湖北	30. 92	29. 82	29. 60	28. 68	23. 91	22. 71	22. 84	24. 05	22. 68
四川	30. 87	30. 87	30. 87	30. 87	30. 87	30. 87	30. 87	30. 87	30. 87
安徽	30. 50	29. 30	29. 01	28. 51	22. 41	21. 26	23. 49	23. 74	22. 77
山西	29. 20	26. 92	26. 48	24. 64	22. 97	22. 67	22. 30	23. 54	22. 49
天津	28. 11	25. 06	25. 41	24. 68	20. 22	21. 27	23. 63	23. 13	23. 09
湖南	27. 80	27. 01	27. 74	27. 36	22. 79	21. 76	23. 52	23. 67	23. 00
福建	27. 62	26. 17	26. 73	24. 59	20. 47	19. 44	20. 71	20. 54	19. 58
陕西	27. 32	26. 07	26. 84	25. 23	21. 41	19. 93	21. 68	22. 33	21. 43
黑龙江	27. 22	25. 93	24. 73	25. 03	22. 63	21. 29	21. 90	23. 24	22. 63
江西	23. 99	22. 69	23. 16	21. 27	19. 09	17. 74	18. 50	19. 39	19. 50
内蒙古	23. 27	20. 76	21. 20	19. 34	16. 92	15. 73	16. 16	17. 16	15. 94
吉林	22. 80	21. 28	21. 10	20. 77	18. 92	17. 96	18. 66	19. 72	18. 97
重庆	22. 68	20. 30	22. 09	21. 07	15. 62	14. 40	16. 18	17. 48	19. 43
甘肃	22. 08	19. 88	19. 91	18. 45	16. 66	14. 55	16. 26	17. 62	16. 75
云南	21. 96	21. 72	21. 87	20. 55	16. 65	16. 05	17. 03	17. 57	16. 52
广西	21. 79	21. 36	20. 70	19. 77	17. 36	15. 71	16. 57	17. 86	17. 81
新疆	21. 26	19. 21	18. 98	18. 19	14. 50	13. 60	15. 22	15. 27	14. 62
贵州	19. 96	19. 52	18. 74	18. 81	16. 39	13. 20	15. 11	15. 92	14. 81
西藏	19. 08	17. 51	18. 74	16. 54	14. 72	12. 69	12. 58	12. 19	9. 94
宁夏	16. 61	14. 56	16. 00	14. 95	12. 15	12. 30	13. 92	13. 49	12. 15
青海	16. 20	13. 99	14. 64	14. 12	14. 56	11. 90	14. 19	12. 57	14. 20

第二节　包容性创新促进经济增长影响机制的实证分析

一、包容性创新促进经济增长描述性分析

首先，在对包容性创新进行实证分析前，可先根据上一步得出的各省份包容性创新绩效水平，对其与经济增长的关系进行初步分析，匹配中国2005年、2009年、2012年31个省份数据，衡量地方GDP水平（当年地方人均GDP与全国人均GDP之比，以1划分高/低GDP水平地区）与地区包容性创新水平（以当年各省包容性创新平均绩效划分高/低包容性创新水平），从表5-3可知，大部分东部省份都处于高GDP水平、高包容性创新水平，而西部省份大部分处在低GDP水平、低包容性创新水平，其中以天津和安徽为代表的部分省份分别处于高GDP水平、低包容性创新水平以及低GDP水平、高包容性创新水平，对此可能的解释是，这些地区的经济增长主要依靠对外贸易、第二产业的拉动，而对包容性创新能力的依赖还不够显著，或者包容性创新能力较高的地区因地方经济基础较差，而创新能力对经济的带动作用具有滞后性，但这都不能否认包容性创新对经济增长的影响，尤其在高包容性创新能力中，以北京为代表的省份人均GDP在2012年已超过10000美元的标准，在遵循从微观到宏观的路径下，认为只有各省份实现包容性创新能力的均衡提升，从而带动地方人均GDP的增长，中国将实现“中等收入陷阱”的跨越。

表5-3　各省份包容性创新水平与人均GDP水平分布

	低GDP水平	高GDP水平
低包容性创新水平	黑龙江、江西、广西、海南、重庆、贵州、云南、陕西、甘肃、青海、宁夏、新疆、山西、西藏	天津、内蒙古、吉林、福建
高包容性创新水平	安徽、河南、湖北、湖南、四川	北京、辽宁、上海、江苏、浙江、山东、广东、河北

二、包容性创新促进经济增长实证检验

1. 影响机制模型数据来源与变量选取

本书用2005年至2013年间的各省份宏观数据进行相关检验，共包括30个省份，其中西藏因数据缺失严重而未包括进来。基于上述理论分析，本书选取的变量包括：

（1）衡量经济增长变量，考虑到"中等收入陷阱"的主要经济衡量因素是人均GDP，故这里采用的是各省市在统计年间的人均GDP；

（2）衡量包容性创新水平变量，这里直接引用上文计算出的各省份统计年间的包容性创新绩效水平；

（3）衡量消费水平变量，这里选用各省份居民消费来衡量，即按常住人口平均计算的居民消费支出；

（4）衡量经济发展不均衡变量，这里采用两个变量，一个是城市化水平，城市化水平提高，城乡之间的差距会有所下降，基于统一数据统计口径以及数据可得性，本书选用"地方非农业人口/地方总人口"衡量地区的城市化水平；另一个是城乡收入差距，在评价收入差距方面，最好是选取基尼系数，但已有对各省份基尼系数计算的数据缺失，故选取占据主要地位的城乡居民收入差距来衡量，这里"地方城乡收入差距＝地方城镇居民人均可支配收入/地方农村居民家庭人均纯收入"；

（5）衡量产业结构优化升级变量，参考柯军（2008）的分析，衡量产业结构的高级化程度指标有产业结构层次系数，将某省份内 n 个产业根据产业层次由高到低排列，所得比重记为 $q(j)$，则该省产业化结构层次系数 $= \sum_{i=1}^{n} \sum_{j=1}^{i} q(j)$；

（6）其他控制变量，结合前人已有研究，可知人力资源水平、对进出口依赖程度以及实际利用外资对经济增长也具有一定影响，人力资源水平以受教育程度（*Edu*）来衡量，即"地区大专及以上人口总数/地区总人口数"，进出口依赖程度（*Ft*）以及外资实际利用率（Fd）分别以"地区进出口总额/地区国内生产总值""地区实际利用外资额/地区国内生产总值"衡量。

以上数据除包容性创新来自于本书，其他来自于《中国统计年鉴》与《中国人口与就业统计年鉴》。为了减少回归的异方差性，对除控制变量以外的其他变量均采取了取对数形式，如人均 GDP（Lngdp）、包容性创新绩效（Lniis）、居民消费支出水平（Lnc）、城市化水平（Lnurb）、城乡收入差距（Lngap）以及产业结构层次系数（Lnindu）。各主要变量的均值、标准差等描述性统计在表 5－4 中得到展示，通过比较均值和标准差的大小可以初步了解数据的异方差情况，当均值大于标准差时，可以认为文章的数据异方差问题不严重，本书所用到的数据中，控制变量进出口依赖程度（Ft）的均值小于标准差，其他的变量都显示出均值大于标准差。

表 5－4　主要变量的描述性统计

变量	观测值	均值	标准差	最小值	最大值
Lngdp	270	10.1622	0.6061	8.5275	11.5140
Lniis	270	3.1599	0.3680	2.1485	4.0492
Lnc	270	9.1025	0.5261	8.0883	10.5770
Lnurb	270	3.8887	0.2632	3.2908	4.4954
Lngap	270	5.6843	0.1846	5.2405	6.1298
Lnindu	270	5.4763	0.0452	5.3553	5.6230
Edu	270	0.0937	0.0596	0.0272	0.3882
Ft	270	0.3417	0.4215	0.0357	1.7215
Fd	270	0.0271	0.0194	0.0007	0.0825

2. 模型构建

进行实证数据分析前，先根据数据散点图来初步验证各变量间的关系。如图 5.2—图 5.6 所示，我们分别验证了包容性创新（Iis）对于起到中介效应的居民消费水平（C）、城市化水平（Urb）、城乡居民收入差距（Gap）以及产业结构层次系数（Indu）变量的相关性，以及与衡量是否跨越“中等收入陷阱”的经济增长变量——人均 GDP（Gdp）之间的关联。可知：

第一，包容性创新可通过扩大内需、改善消费结构、提高居民消费能力达到促进经济增长的目标，将包容性创新水平（Iis）与地区居民消费水平（C）数据作图，如图 5.2 所示，二者之间存在相互促进的关系，包容性创新为低收入群体提供新供给，满足低收入群体消费需求，甚至在满足基本需求后低收入群体衍生出新需求，在需求拉动下带动企业生产，进而促进经济增长。

第二，包容性创新促进经济社会均衡发展。农业、农村、农民是包容性创新首要关注的重点，因为非农业领域即使存在不平衡发展，但其创新条件和创新基础仍优于农村，在此引入衡量城乡均衡发展的地区城市化水平（Urb）与地区城乡居民收入差距（Gap），包容性创新对城镇化进程适度推进、城乡收入差距减小能起到积极作用（见图5.3、图5.4），这是因为包容性创新本就是立足于低收入群体的利益，一切以实现均衡发展、包容性发展、可持续发展为首要目的。

第三，包容性创新将优化提升产业结构。将衡量包容性创新绩效（Iis）与产业结构层级水平（Indu）作图（见图5.5），二者之间存在正向关系。从微观到宏观来看，草根阶层创新使低收入群体加入经济活动中，各种专利技术应用于企业，加之企业为降低生产成本自身进行的包容性技术创新，继而实现产业结构集约型生产经营。此外，包容性创新关注“三农”问题，农村发展首要依靠第一产业，现代农业的代表美国、以色列、加拿大等的实践证明现代要素对农业的注入完全可使传统农业转变为具有国际竞争力的现代第一产业，因此构建现代第一产业体系，也是促进产业结构优化升级的途径之一。

第四，对地方包容性创新绩效（Iis）与衡量经济增长的地方人均GDP（Gdp）数据直接作散点图（见图5.6），以进一步验证包容性创新与经济增长之间的正向关系，因为包容性技术、市场、商业模式创新是一个同时创造新供给与新需求的过程。企业作为创新主体在提供新供给时实现了收益增加，尽管收益回报相较前期创新投入存在一定滞后性，但低收入群体消费需求得到满足；同时大量低收入群体作为劳动力融入到经济生产活动中，也会为经济增长提供新动力。包容性制度、组织创新将提高低收入群体生活水平，从而实现稳定环境下的经济增长。

综上，包容性创新（Iis）与居民消费水平（C）、城市化水平（Urb）、产业结构层次系数（Indu）以及人均GDP（Gdp）之间存在正相关关系，与城乡居民收入差距（Gap）存在反向关系。各变量间更加微观的变化关系将在之后的模型中进行更为详细地检验。

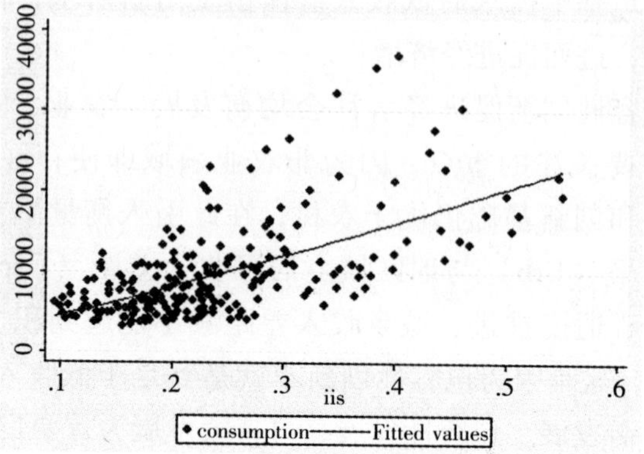

图 5.2　包容性创新与居民消费水平

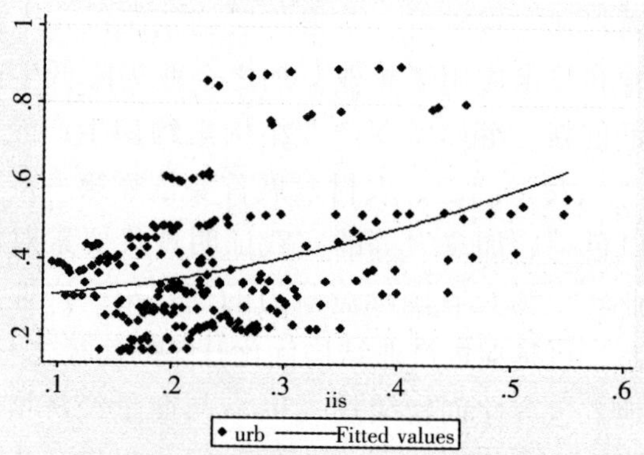

图 5.3　包容性创新与城市化水平

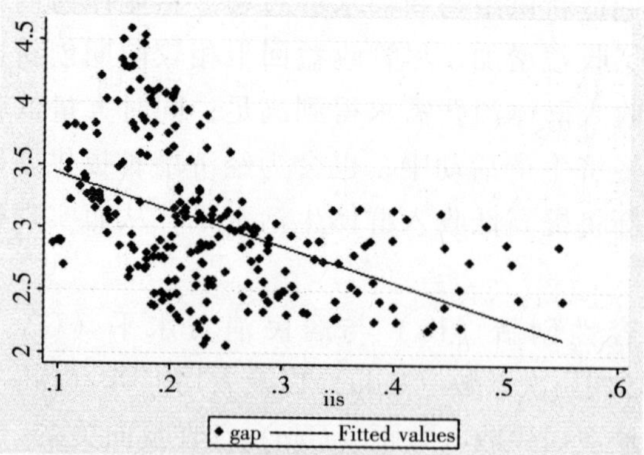

图 5.4　包容性创新与城乡收入差距

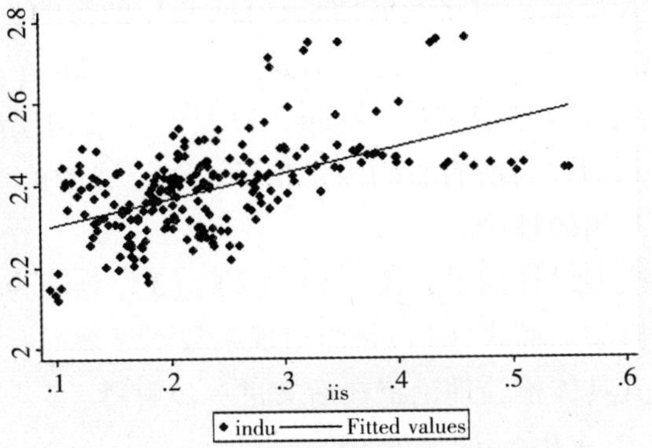

图 5.5　包容性创新与产业结构层次

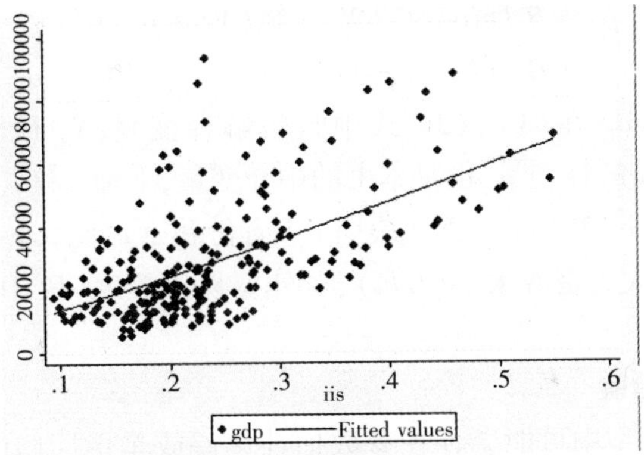

图 5.6　包容性创新与经济增长

实证分析中，本书将基于跨越“中等收入陷阱”的视角，考虑到包容性创新对经济增长的影响机制中，消费水平、城市化水平、城乡差距以及产业结构起到一定的中介效用，故参照温忠麟（2014）对于中介效应检验的步骤分析。

所谓中介效应，是指当自变量 X 影响因变量 Y 时需要通过影响变量 M 来实现，则变量 M 在这里发挥了一定的中介效用。传统的检验做法是分别做三个回归：自变量（c）对因变量回归、自变量对中介变量（a）回归、自变量（c）和中介变量（b）对因变量回归（括号内字母为各变量的回归系数）。若各系数都显著，则确实存在中介效应；若 c 显著，而 a、b 当中至少有一个不显著，则需要通过其他检验方法进一步确认中介效应是否存在。鉴于此，本书实证检验的第一步是单独验证包容性创新（Lniis）对于经济增长（Lngdp）的影响，第二步将分别验证包容性创新（Lniis）对于居民消费水平（Lnc）、城市化水平（Lnurb）、城乡居民收入差距（Lngap）以及产业结构层次系数（Lnindu）的影响，最后，将所有影响因素整合，对经济增长（Lngdp）进行回归验证上文提出的理论。

各步骤的模型设计如下，式（1）（2）（3）分别为第一步、第二步、第三步的模型。而式（4）是当出现系数不显著时，引入交互项来进一步确认，其具体检验理论将在后文进一步解释。

$$Lngdp_{it} = \beta_0 + \beta_1 Lniis_{it} + \beta_2 CV_{it} + \mu_{it} \quad (1)$$

$$X_{it} = \beta_0 + \beta_1 Lniis_{it} + \beta_2 CV_{it} + \mu_{it} \quad (2)$$

$$Lngdp_{it} = \beta_0 + \beta_1 Lniis_{it} + \beta_2 X_{it} + \beta_3 CV_{it} + \mu_{it} \quad (3)$$

$$Lngdp_{it} = \beta_0 + \beta_1 Lniis_{it} + \beta_2 Lniis_{it} * X_{it} + \beta_3 CV_{it} + \mu_{it} \quad (4)$$

其中，$Lngdp$ 在（1）、（3）式中是被解释变量，X_{it} 代表 Lnc、$Lnurb$、$Lngap$、$Lnindu$ 解释变量，也是本书的中介变量，下标 i 和 t（$i = 1, 2 \cdots 30$；$t = 2005, 2006 \cdots 2013$）分别代表第 i 个省份和第 t 年，CV 代表一系列控制变量，包括人力资源水平（Edu）、对外贸易依赖度（Ft）以及实际使用外资（Fd）。

3. 模型检验

首先，模型中可能会存在参数估计偏差或是伪回归问题，需要对面板序列进行平稳性检验，单位根检验是最常使用的检验方法。这里选取了 LLC、IPS、ADF 和 PP 四类检验，结果如表 5－5 所示，一阶差分后，除 Lngap 变量未通过 LLC、ADF、PP 检验外，其余各变量均为一阶单整平稳序列。这里考虑到 Lngap 通过了 IPS 检验，所以不甚严格地将 Lngap 亦看作平稳变量。

表 5－5　面板数据单位根检验 p 值

方法	LLC	IPS	ADF	PP	方法	LLC	IPS	ADF	PP
Lngdp	0.0000	0.7062	0.9892	0.9892	d. lngdp	0.0000	0.0002	0.0007	0.0007
lniis	0.9380	1.0000	1.0000	1.0000	d. lniis	0.0000	0.0001	0.0000	0.0000
lngap	1.0000	1.0000	1.0000	1.0000	d. lngap	0.2597	0.0002	0.1660	0.1660
lnindu	0.1714	0.7525	0.0000	0.0000	d. lnindu	0.0068	0.0003	0.0000	0.0000

续表

方法	LLC	IPS	ADF	PP	方法	LLC	IPS	ADF	PP
lnc	0. 0000	1. 0000	1. 0000	1. 0000	d. lnc	0. 0000	0. 0000	0. 0000	0. 0000
lnurb	0. 0173	1. 0000	1. 0000	1. 0000	d. lnurb	0. 0000	0. 0000	0. 0000	0. 0000
edu	0. 6561	1. 0000	0. 9999	0. 9999	d. edu	0. 0000	0. 0000	0. 0000	0. 0000
ft	0. 0000	0. 8678	0. 8214	0. 8214	d. ft	0. 0000	0. 0000	0. 0000	0. 0000
fd	0. 0000	0. 8469	0. 0000	0. 0000	d. fd	0. 0000	0. 0000	0. 0000	0. 0000

由上述单位根检验可知，各变量基本通过了单位根检验，但面板数据的检验中通常还包括考量数据间关系的长期均衡性的协整检验，常用的有 Kao 检验、Pedroni 以及 Johansen 检验，通过了协整检验即表明方程的回归残差是平稳的，而变量之间的关系也是长期稳定均衡的，此时再进行的回归结果是较精确的。运用 Eviews 对上述变量进行 Kao 检验，检验结果如表 5 －6 所示，得出 P 值为 0. 0000，从而接受备择假设：变量之间存在协整关系。

表 5 －6　面板数据协整检验—Kao 检验结果

Kao Residual Cointegration Test		
Series：LNGDP、LNIIS、LNINDU、LNURB、LNGAP、LNC、FT、FD、EDU		
	t – Statistic	Prob.
ADF	–8. 460835	0. 0000
Residual variance	0. 001394	
HAC variance	0. 001449	

三、实证结果

在对面板数据进行分析时，常用的模型包括固定效应、随机效应与混合效应回归模型，本书通过 Hausman 检验，结果表明本书的模型除模型（2）中模型（2. 3）与模型（2. 4）适用于随机效应模型外，其他大部分模型都使用固定效应模型估计，本书第三步采用逐步回归检验的方式。第一、二步及第三、四步回归结果分别如表 5 –7、表5 –8 所示。

表 5-7 模型（1）（2）回归结果

	(1)	(2.1)	(2.2)	(2.3)	(2.4)
被解释变量	Lngdp	Lnc	Lnurb	Lngap	Lnindu
Lniis	0.9348*** (5.17)	0.9517*** (6.53)	0.2000*** (4.96)	-0.1802*** (-5.19)	0.0270*** (3.02)
Edu	9.7212*** (9.18)	8.2678*** (9.68)	1.6572*** (7.00)	-0.8287*** (-4.09)	0.2460*** (4.69)
Ft	0.1476 (0.83)	-0.0264 (-0.19)	0.1108*** (2.80)	-0.0782** (-2.47)	0.0229*** (2.85)
Fd	-1.1565 (-0.74)	-0.9343 (-0.74)	-0.2376 (-0.68)	-0.8668** (-2.50)	0.1633* (1.69)
Constant	6.2779*** (12.23)	5.3544*** (12.93)	3.0698*** (26.77)	6.3815*** (62.97)	5.3556*** (205.87)
N	270	270	270	270	270
R^2 - within	0.7023	0.7551	0.6055	0.3960	0.2379
F	139.19	181.90	112.67		
Hausman 检验值（P 值）	39.19 (0.00)	73.77 (0.00)	22.31 (0.0005)	9.11 (0.1046)	6.41 (0.2682)

（注：括号内数值为 t/z 统计量，符号***、**、*分别表示在 1%、5% 和 10% 的显著性水平上显著）

表 5-7 的模型检验中，模型（1）初步验证了包容性创新（Lniis）对人均 GDP（Lngdp）增加起到正向影响，且通过了 1% 显著性检验；模型（2.1）、（2.2）、（2.3）和（2.4）分别检验了包容性创新对起到中介效应的居民消费水平（Lnc）、城市化水平（Lnurb）、城乡居民收入差距（Lngap）以及产业结构层次系数（Lnindu）的影响，且模型分别通过了 1% 显著性检验，得出包容性创新（Lniis）对居民消费水平（Lnc）、城市化水平（Lnurb）与产业结构层次系数（Lnindu）具有正向影响，对城乡居民收入差距（Lngap）具有负向影响。模型的控制变量中，人力资本水平（Edu）都通过了 1% 显著性检验，在（1）、（2.1）、（2.2）、（2.3）和（2.4）中符号除了（2.3）为负外，其他的均为正；进出口依赖程度（Ft）仅在（2.2）、（2.4）中通过了 1% 显著性检验，且符号为正，在（2.3）中通过了 5% 显著性检验，显著为负；而实际利用外资（Fd）仅在（2.3）中显著为负，在（2.4）中显著为正。

表 5-8　模型（3）（4）回归结果（固定效应）

	(3.1)	(4.1)	(4.2)	(4.3)	(4.4)
Lniis	-0.1751*** (-3.89)	-3.5862*** (-21.76)	-4.8517*** (-16.12)	3.3730*** (7.05)	-12.1713*** (-7.52)
Lnc	0.9906*** (29.90)				
Lniis * Lnc		0.3724*** (31.33)			
Lnurb	0.5578*** (4.77)				
Lniis * Lnurb			1.2755*** (20.59)		
Lngap	-0.0140 (-0.19)				
Lniis * Lngap				-0.4768*** (-5.45)	
Lnindu	2.2256*** (8.62)				
Lniis * Lnindu					2.3717*** (8.14)
Edu	0.0706 (0.25)	-0.0932 (-0.17)	3.0805*** (4.33)	8.4307*** (8.20)	7.7882*** (8.05)
Ft	0.0704 (1.63)	0.4474*** (5.69)	-0.0212 (-0.20)	0.0388 (0.23)	0.0903 (0.57)
Fd	-0.4953 (-1.35)	0.1771 (-0.26)	0.2036 (0.22)	-1.9640 (-1.32)	-2.5461* (-1.82)
Constant	-12.5966*** (-9.33)	10.5874*** (40.00)	9.4713*** (27.52)	7.3010*** (14.05)	6.8654*** (14.92)
N	270	270	270	270	270
R2 - within	0.9849	0.9425	0.8939	0.7357	0.7677
F	1890.01	770.32	395.81	130.85	155.34
Hausman 检验值（P 值）	27.10 (0.0013)	33.80 (0.00)	109.09 (0.00)	42.47 (0.00)	64.51 (0.00)

（注：括号内数值为 t 统计量，符号 ***、**、* 分别表示在 1%、5% 和 10% 的显著性水平上显著）

从表5－8的模型检验可知，模型（3）影响人均GDP（Lngdp）增加的各类因素对其的回归，其中除城乡居民收入差距（Lngap）未通过显著性检验，其余的包容性创新（Lniis）、居民消费水平（Lnc）、城市化水平（Lnurb）和产业结构层次系数（Lnindu）均通过了1%显著性检验，其符号除包容性创新（Lniis）为负外，其他的均为正；模型（4.1）、（4.2）、（4.3）、（4.4）分别检验了在居民消费水平（Lnc）、城市化水平（Lnurb）、城乡居民收入差距（Lngap）以及产业结构层次系数（Lnindu）的中介效用下，包容性创新（Lniis）将如何影响人均GDP（Lngdp），各模型下的包容性创新（Lniis）以及交互项变量均通过了1%显著性检验，模型（4.1）、（4.2）和（4.4）中包容性创新（Lniis）符号显著为负，且此三个模型中的交互项（Lniis＊Lnc、Lniis＊Urb、Lniis＊Indu）也都显著为正，模型（4.3）中包容性创新（Lniis）符号显著为正，而包容性创新与城乡居民收入差距的交互项（Lniis＊Gap）为负且通过了1%显著性检验，控制变量中通过显著性检验的情况较少，人力资本水平（Edu）在（4.2）、（4.3）、（4.4）中通过了1%显著性检验，影响为正；外贸依赖程度（Ft）仅在（4.1）中通过了1%显著性检验，影响为正；实际利用外资（Fd）对人均GDP（Lngdp）的影响中仅（4.4）通过了10%显著性检验，系数符号为负。

第三节　实证结果分析

首先，检验模型（1）、（2）、（3）的系数是否符合中介效应检验结果。得出除城乡居民收入差距在（3）中未通过显著性检验外，其他各变量均已得到验证，即包容性创新能力的提升将促进居民消费水平、城市化水平提高，优化提升产业结构层次的理论假设；且由（1）可知，当不考虑其他因素时，包容性创新绩效水平的提高将促进经济增长，当包容性创新水平提高1%时，将使经济增长约0.93%；（2.1）到（2.4）的系数分别为0.9517、0.2000、－0.1802、0.0270，可见包容性创新水平对拉动内需的作用最大，其次是促进均衡发展，对产业结构优化升级的影响还较弱；除此之外，模型（3）中包容性创新（Lniis）对经济增长起到显著的负向影响，对此可能的解释是，其他中介变量对经济增长的直接促进作用十分明显，而包容性创新对经济增长的直接作用稍弱，主要还是有赖于通过各中介变量而对经济增长产生作用，所以在模型（3.1）中符号为负。

然后，模型（4）引入交互项以进一步验证中介效应，因为交互项的引入可以更好地解释因变量对一个解释变量的偏效应。就模型具体回归结果来看，如果交互项回归系数不显著，说明包容性创新与中介变量的交互作用并不明显；相反，交互项显著，而因变量的回归系数不显著或显著为负，则认为包容性创新通过居民消费水平、城市化水平、城乡收入差距或者产业结构优化升级的中介效应能给经济增长带来显著影响，而包容性创新本身作用不明显，需要与各中介变量结合才能产生作用。模型（4.1）、（4.2）、（4.3）、（4.4）分别检验了在居民消费水平（Lnc）、城市化水平（Lnurb）、城乡居民收入差距（Lngap）以及产业结构层次系数（Lnindu）的中介效用下，包容性创新（Lniis）将如何影响人均 GDP（Lngdp），模型（4.1）、（4.2）和（4.4）中包容性创新（Lniis）符号显著为负，而包容性创新与消费水平交互项（Lniis * Lnc）、包容性创新与产业结构层次系数交互项（Lniis * Indu）、包容性创新与城市化水平交互项（Lniis * Urb）的符号都显著为正，恰好印证了之前的假设，即单独看包容性创新对经济增长的促进作用并不明显，而居民消费水平的提高、城市化水平的提升以及产业结构的优化升级却都能直接推动经济增长，包容性创新对经济增长的影响需要通过提高消费总量、加快城市化进程或者助推我国产业结构的优化与升级来实现，这与之前的假设相符；模型（4.3）中包容性创新（Lniis）符号显著为正，而包容性创新与城乡居民收入差距的交互项（Lniis * Gap）为负且通过了1%显著性检验，这也与之前的预想相符，因为包容性创新能力正向影响到经济增长，包容性创新（Lniis）的系数符号在这个模型中为正，当城乡收入差距拉大，经济增长将减缓，甚至会出现下降，可知城乡收入差距与经济增长呈负向相关，在模型（2.3）中也已验证包容性创新与城乡收入差距之间存在显著的负向关联，故二者的交互项（Lniis * Gap）对人均 GDP（Lngdp）的影响为负恰好说明了当包容性创新绩效水平提升时，通过缩小城乡收入差距促进了经济增长。为了进一步验证各影响路径的效用，主要分析各交互项的系数，即包容性创新分别通过居民消费水平（Lnc）、城市化水平（Lnurb）、城乡居民收入差距（Lngap）和产业结构层次系数（Lnindu）中介变量对经济增长影响作用的大小，各交互项回归系数分别为0.3724、1.2755、-0.4768、2.3717，可见，在经过各中介变量的影响后，包容性创新水平的提高通过促进产业结构优化升级对经济增长的影响最大，其次是通过均衡发展，而通过拉动内需这一路径对经济增长产生的效用在三个因素中较弱。

最后，对于控制变量的解释。由表5.7可知人力资本水平（Edu）的提高将促进经济增长、消费水平的提高、城市化的进程以及产业结构的优化升级，并缩小城乡收入差距；进出口依赖程度（Ft）的提高将加快城市化进程，降低城乡收入之间的差距，提升产业结构层次系数；国民经济中外资利用率（Fd）的提高将有助于城乡收入差距缩小与产业结构层次系数提高。在模型（4）中出现外资利用程度（Fd）对经济增长显著负向影响，可能的解释是现今外资对经济增长的拉动作用已逐渐减弱，与其他影响因素相比便出现了负向影响，不过控制变量对人均GDP的影响在这里不是研究的重点，在此不再做过多讨论。

综上所述，包容性创新对于扩大内需具有较大的推动作用，这符合包容性创新的特征，即包容性创新能够通过创新降低成本，创造价格优势，从而能够为中低收入人群提供高性价比的产品和服务，BOP群体从包容性产品的消费中所获得的满足感将有力促进这一消费市场的深化，从而更进一步扩大内需；包容性创新对城乡差异具有明显的调节作用，其对城市化水平的促进作用不仅符合当下深化改革的要求，也能够达到协调城乡发展的目标；包容性创新活动能有效缩小城乡收入差距，这是因为包容性创新重点关注BOP人群，其主要目的是为提高BOP人群的收入水平，而我国广大的BOP人群聚集地就在农村，所以其对缩小城乡收入差距，调节收入分配结构有较好的效果；包容性创新对产业结构升级具有促进作用，其产业结构优化主要作用在第一产业的创新和升级，这将有力促进第一产业现代化，优化第二产业产能，从而推动整体产业结构升级。除此之外，对已有数据的分析发现，包容性创新绩效水平的提高对经济增长的影响机制中，中介效应由高到低依次为产业结构优化升级、促进城乡均衡发展、提高居民消费水平，说明我国在经济增长问题上，包容性创新水平通过产业结构优化升级发挥的作用较大，而在实现城乡均衡发展以及拉动内需上仍存在较大的提升空间。

本章小结

本章构建了包容性创新能力指标体系，并得出全国31个省份2005~2013年的包容性创新绩效水平数据，初步得出包容性创新能力与地方经济水平等因素相关、包容性创新绩效呈片状划分、包容性创新能力提升速度存在“马太效应”三个结论。然后结合影响机制理论假设，参考中介效应检验步骤，运用2005~2013年30个省份的省级面板数据，使用实证模型对其进行检验，实证结果表明，包容性创新确实可以通过提高居民消费水平、缩小城乡收入差距、优化提升产业结构促进经济增长，从而助推“中等收入陷阱”的跨越。

第六章 结论与政策建议

前文通过对相关理论文献的梳理以及相关概念的界定，对包容性创新助推跨越“中等收入陷阱”的实现路径进行了实证研究，得出主要研究结论。本章对实证研究结论进行归纳总结，在结论基础上提出对策建议，并对后续研究做了展望。

第一节 研究结论

包容性创新中“包容性”与化解发展不平衡造成的社会不稳定、“创新”与创新驱动发展战略息息相关，文章回顾与总结了相关文献，并在充分理解包容性创新含义以及已有研究基础上重新构建包容性创新绩效测度指标，结果表明我国包容性创新地区绩效水平呈沿海到中部、西部地区递减趋势，包容性创新与地方经济、技术基础与开放程度等相关，在空间上呈片状划分，而地方包容性创新能力提升速度在时间上存在“马太效应”。构建包容性创新促进经济增长的影响机制，通过划分高低 GDP 水平与高低包容性创新水平省份进行数量检验；匹配 2005 ~2013 年 30 个省份的省级面板数据，根据中介效应检验步骤，运用固定效应模型进行实证检验。研究结论如下：

一、包容性创新有利于推动经济持续增长

从实证结果来看，包容性创新活动对于经济增长具有明显的促进作用，这是因为包容性创新本身作为一种技术创新的形式，其符合内

生经济增长模型中关于“技术进步是经济增长的源泉”这一结论。包容性创新之所以能够促进经济持续增长，主要源于它的两层含义，一方面，包容性创新是针对低收入群体的特定需求开展的创新活动，这能使他们获得并享受创新成果，从而带动广大 BOP 人群的消费力的提升和就业的增加，从而实现该人群的福利的整体增长，进一步助推跨越“中等收入陷阱”；另一方面，包容性创新是低收入群体亲自参与、推动、实施的具体的创新活动，即“草根创新”。在中国，有无数的创新源自草根阶层。例如，穷人创造的和为穷人创造的产品，其领域覆盖广泛，涉及农业、医疗、能源、交通、家庭设施和公共安全。草根创新者都来自非正规部门，包括农民、学生、技工、艺术家、退休工人或企业家。与正规部门的创新类似，草根创新还包括技术创新和组织创新。许多草根创新者致力于解决穷人的特殊需求，而这些需求通常被正规部门所忽略。草根创新者处于各种目的开展的创新活动，改善了自身生计的同时，极大地发展了基层生产条件，促进了生产力的进一步解放和发展，为经济持续健康增长提供了持久的助力，有助于跨越“中等收入陷阱”。

二、包容性创新从扩大内需方面助推跨越“中等收入陷阱”

根据中介效应模型的实证结果，包容性创新通过对内需增长的推动作用最终助推跨越“中等收入陷阱”。包容性创新能够通过增加庞大的 BOP 市场的整体购买力，实现消费的进一步扩大，而消费作为经济增长的“三驾马车”之一，将对实现持续稳定的经济增长起到至关重要的作用，最终助推跨越“中等收入陷阱”。在当今的中国，随着消费的增加，中国的 BOP 市场正快速增长，显示出包容性创新的巨大潜力。随着收入的增加，食品支出所占的份额在下降，用于交通、通信、家庭装备和医疗服务的支出在快速增长。巨大的 BOP 市场为私营部门提供了新的增长机会，通过参与包容性创新来扩大规模、降低成本和提高产品质量。BOP 市场还可以加深对需要解决的问题和需求的理解。当企业尝试进入这一市场，关注 BOP 消费者的兴趣和需求时，便能够促进竞争、增强竞争力，并在巨大利润的支撑下实现行业的快速增长，从而带动整体经济的健康发展。

三、包容性创新从均衡发展方面助推跨越“中等收入陷阱”

根据中介效应模型的实证结果，包容性创新通过对收入差距的反向作用促使经济均衡发展从而助推跨越“中等收入陷阱”。包容性创新的出发点和落脚点是改善部分社会群体的社会经济福利，包括低收入群体、弱势群体、草根群体、边缘群体等，特别是低收入群体中 BOP 人群，他们是中国包容性创新的最终受益者和参与者。一方面，通过民生改善、产业发展提供低成本、符合质量要求的产品和服务，使这些群体能够享受到便捷、平等、低成本的卫生、教育等公共福利，使他们同样能够享受创新成果，这将进一步提高低收入人群的经济效益，促进均衡发展；另一方面，进行科学技术普及，鼓励草根创新与小微企业发展，降低创新创业门槛，让这些群体能够有机会参与创新活动，进而从根本上改善其经济状况，这将在收入层面直接作用于 BOP 群体，使得他们获得直接的经济利益，促进这一群体的收入状况的改善，进一步减小收入差距，从而最终带动整个经济体均衡发展。

四、包容性创新从产业结构优化升级方面助推跨越“中等收入陷阱”

根据中介效应模型的实证结果，包容性创新通过促使产业结构由低层次向高层次的优化升级从而助推跨越“中等收入陷阱”。针对传统行业整体技术水平偏低，企业单独创新能力不足等特点，包容性创新能够对传统产业中专项技术服务、创新资源共享服务、技术转移服务提供有力的支持，通过充分发挥包容性创新辐射带动的作用，以点带面，推动传统产业技术水平优化升级。由于包容性创新的 BOP 属性，能有效地推动第一产业即农业的现代化，这将使得整体产业结构得到进一步的优化和升级。包容性创新致力于推广先进适用农业现代化技术，将科学知识、科学方法、科学技术送到贫困地区，依靠科技战胜贫困。首先，包容性创新以投资少、见效快、受益面大的传统养殖业为主攻方向，依靠农业科技进步推动农业现代化发展，促进第一产业转型升级。这种方式为解决贫困地区农户温饱问题发挥了重大功效。其次，包容性创新围绕贫困地区特色资源，集中科技力量解决产业发展中的共性关键技术难题、开展贫困地区特色产业发展搭建交流合作平台等方式，引导培育区域支柱性产业和地区经济增长点，进一步使农业由低层次向高层次优化，带动整体产业结构升级。

第二节　政策建议

通过对包容性创新助推跨越“中等收入陷阱”的理论、路径、机制及实证研究分析，得出了包容性创新从扩大内需、均衡发展以及产业结构优化升级三个方面促进经济增长，从而最终助推跨越“中等收入陷阱”的结论。为了更好地实现包容性创新，促进创新活动的开展，本书提出以下建议：

一、产业结构优化升级

（一）完善市场竞争机制

作为包容性创新过程中重要的环节，市场竞争机制的完善与否，很大程度上决定了包容性创新能否对我国的经济增长起到促进作用。同时产业结构的调整也需要通过市场竞争来实现。我国政府应该在现有的竞争机制的基础上，改进市场的监管体制，将那些在市场经济过程中阻碍正常活动开展，妨碍公正公平的行为进行剔除或改良，并对那些违法行为严加惩处，真正建立起统一有效的市场经济监管，防止基层权力的滥用，坚决打击地方性保护，实行反垄断政策。

另外，包容性创新对于市场环境往往有较大的要求，为了鼓励其健康发展，我们应该建立更为规范的市场准入机制，确保创新性行为可以自由平等进出各行业领域。放宽产业之间的进入与退出限制，消除阻碍，实现市场自我调节，根据公平竞争的方式来调节市场，使那些不达要求，低效率的企业退出市场，让那些高效率，符合发展战略的优质企业进入市场。同时要发挥包容性创新在市场中的导向作用，逐步加强企业在包容性创新中的主体位置，尤其是激发中小企业在包容性创新中的活力。目前我国市场化经济由于缺少合适的退出准入机制，造成行业间发展不平衡，个别行业产能过剩，某些行业资源短缺的现象发生。如 BOP 理论中，处于金字塔底层的市场由于缺少相应机制保障，大量需求得不到满足，而处于顶层的需求由于长期处于过度满足，很大程度上造成了资源的浪费。

（二）调整需求结构

通过比较西方发达国家，我们可以发现，当一个国家或地区的经济成功跨越起步阶段达到中等收入后，经济增长的主要动力便慢慢从投资推动经济增长转为以消费推动为主导的新型结构。包括英美等主要西方国家都拥有较高的国内居民消费率。在跨越中等收入，迈进高收入阶段的过程中，这些国家都经历过投资率降低，同时消费对经济增长贡献率增大的现象。

早在“十八大”报告中，政府就已经意识到需求结构对于经济增长的重要作用，并将改善需求结构放在了关键位置。目的是强调其对于我国产业结构调整的作用，同时也是市场在资源配置中所起到的主导作用。我们认为调整需求结构，重点在于发掘市场中的潜在需求，让那些未被关注的需求转变成现实需求。比如，曾经的传统餐饮行业，根据消费者更为细分的要求，开发出一系列外卖订餐，上门烹饪服务等新形式。创新商业模式确实能够在短时间内有效调整需求结构，但改善内需，促进经济增长，最关键还是降低收入分配差距，提高全民收入。目前，中国收入分配由于城乡二元经济结构与区域经济发展失衡的原因，存在收入分配不均的现象。我们可以借助包容性创新与包容性增长来缓解区域发展失衡带来的结构分裂。包容性创新可以有效帮助中等收入国家进行产业结构升级，同时惠及长期处于产业链低端的微小企业，避免其由于创新能力不足而受到其他国家的遏制。生产链的创新升级，提高了我国企业的国际竞争力，进而改善进出口结构，提高了低收入群体的收入，促进了消费，最终带动经济增长。

（三）整合地区产业发展资源

受到地区发展失衡与城乡两元化结构影响，企业创新所需的资源在地区之间存在较大的差异。而实际上企业在创新的过程中对于资源有硬性的要求，根据金字塔理论，在 TOP 市场中，企业要进行创新行为，必须拥有与市场环境相吻合的资源并发挥作用。但在我国经济落后地区，创新资源的获取成本与难度非常高，使得许多当地企业很难从中获益甚至无法获得资源。此外 BOP 市场环境中的不稳定性与差异性，使得传统的创新资源无法在 BOP 市场中进行价值的最大化利用。另一方面，BOP 市场拥有庞大的需求群体与当地资源尚未被开发利用，由于大量的优质企业尚未进入市场，BOP 市场的本地资源也无法得到充分利用，处于长期搁置或者低效使用的尴尬局面，同时也无法与 TOP 市场进行有效串联。

我们应该利用包容性创新的特性，有效整合 BOP 市场现有资源，并将其与企业创新能力有机结合，用于新技术、新形式的研发。使得 BOP 市场资源价值得到有效开发利用，真正改善相关产业资源缺乏的现象，促进经济平稳快速增长。包括，根据 BOP 人群所拥有的特色资源进行相应的商业机制创新，如在新产品的研究开发阶段，更多地考虑底层社区与人群的需求，将其列为未来产品重要的使用者，以此来提高新产品在 BOP 市场的成功率；另外，在生产环节，企业也应该充分借助 BOP 市场尚未得到开发利用的原材料进行投入制造。最后在商品的零售环节，应明确目标顾客群体，制定有针对性的销售策略。真正实现地区资源的整合与利用，促进经济增长。

二、强化公共政策对包容性创新的促进作用

（一）设置专项基金扶持包容性创新发展

为了使我国的包容性创新行为能够长期、稳定的发展。政府应当联合多方力量设置专项基金扶持包容性创新。BOP 市场中，包容性创新在技术研发、物流配送、持续发展理念等领域都存在不足，而专项基金可以有针对性的为其提供帮助，解决创新性行为中的难题。不管是来自民间的款项捐赠，还是具有援助性质的“软”贷款，亦或是天使资本风投，多样化的专项基金能给包容性创新行为的各个发展阶段带来实实在在的帮助，尤其是有效降低了相关创新产品受制于资金问题难以上市，而最终成为实验室空谈的风险。

此外专项基金可以加快包容性创新行为生命周期的运转速度，让包容性创新能够更迅速地惠及 BOP 底层社区，同时有效控制投资者的资金风险，包容性创新产品可以借助知名基金的社会影响力来提升自我社会认知度，让更多的群众与企业接受它，并参与到其中来，最终

实现一个良性发展的循环。在此基础上，专项基金应该成立一个具备完整孵化流程的网络，为基层创新者和投资者提供更为专业、系统的辅导，将已投入市场并获得成功的案例作为参考榜样，调动包容性创新者的创造力与想象力，让更多的人才和资源涌入包容性创新中来。政府还应借助专项基金对于产品与项目融资过程中的调节作用，帮助那些包容性创新行为跨越发展难题。区别于普通的高新技术创新，包容性创新行为对于项目自身的风险更大，而且受到BOP群体接受度、产品销售等问题影响，其创新周期往往也会更长。这些都导致公正政策无法及时为其提供融资援助。根据2014年世界银行发布的关于《在中国促进包容性创新实现可持续的包容性增长》报告指出，存在数个包容性创新案例，由于难以在前期获得融资支持，原本发展前景广阔的创新产品只能停留在概念阶段或被少数富裕阶层消费者所使用，无法投入市场服务BOP群体。因此专项基金应发挥其对于融资的调节作用，调整原本的融资周期，让更多的包容性创新行为能够在前期获得足够的资金支持和技术援助。

（二）引导研究机构与高校参与包容性创新

作为包容性创新行为的知识库与智囊团，高校研究机构与创新者之间存在密不可分的关系，政府应该积极鼓励高校与机构借助自身的知识力与创造力优势来服务我国的包容性创新发展，以此推动包容性创新的商业化与产品化。由于收益风险的失衡，目前我国高校与相关机构研究的重点仍倾向于传统模式的创新研究，尽管有一部分机构在包容性创新领域取得了令人惊喜的研究成果，但更多的机构还在门外徘徊与观望。

鼓励更多的机构参与其中，我们必须创造一个完整的包容性创新研究氛围，为了消除机构与高校的顾虑，应当建立全新的奖惩与激励措施，以确保包容性创新各类需求得到满足。针对研究机构投入资源失衡的现象，政府可以联合机构共同调整协调。对于有条件的机构与高校，成立包容性创新研究中心，汇聚专业知识人才，为包容性BOP底层创新发展提供更为高效的服务。对于取得重大成果的研究机构与个人的晋升与职评也需要做出适当调整。在前期的融资阶段中，允许其获得公司部分股权。由于BOP市场的特殊性，基层社区对于包容性创新的需求往往是区分的，研究机构进行需求信息收集与整理，应当考虑包括社会文化等多方面的需求，这要求研究机构与高校必须沉浸其中。相关科研机构可以在有关包容性创新的关键领域构建完整的产业集群，形成一条独特的创新产业链条。借助全新的创新生态系统，利用资源共享、协作与规模效应的方式来迎合 BOP 市场的创新需求。

（三）贯彻科技扶贫政策推动包容性创新发展

包容性创新强调将 BOP 群体纳入创新体系，充分考虑底层群体的需求、并结合实际情况以及基层创新力一起为 BOP 群体提供一个平等参与、共享经济与科技成果的机会，最终跨越“中等收入陷阱”，进入中国经济的新一轮快速增长阶段。但我们必须认识到，没有底层群体成功脱贫作为前提，包容性创新终究难以实现。我国传统的扶贫方式普遍存在针对性差、可持续性弱与效率低等问题。为了促进扶贫行动的高质高效与可持续性发展。我们应该利用全新的科技扶贫来取代原来模式。

首先，我们必须增强 BOP 地区基层干部的综合素质，把加强当地科技培训与科学普及作为科技扶贫的重中之重，开展从点到面，从上到下的全方面培训工作，包括适用技术培训，农业技术与职业素养培养。引用信息网络技术到基层科技培训中，让广大 BOP 群体的科技意识得到有效提升，改变原有思想价值观念。以我国湖北省英山东河冲村为例，科技扶贫结合当地自然资源条件，积极传授果茶树种植技术、培养专门技术人才，创新出一系列独具特色的茶树种植技巧，为当地经济发展形成全新的产业格局与生态格局。另外，政府应联合有关机构开展多方位的 BOP 地区科技服务，帮助 BOP 地区缩小与发达地区的差距。并在 BOP 与 TOP 地区之间搭建技术沟通平台，实行大带小，强带弱的合作模式，发达地区提供技术、贫困地区提供资源。最后，政府应该大力支持 BOP 地区非官方协会组织的发展，科技扶贫可以借助这些组织作为载体，长期固定得为底层居民提供技术援助，比如内蒙古科右旗根据自己发展特点成立奶牛养殖协会，通过聘请专门农业人才的方式，钻研出一系列适合当地奶牧业发展的特色技术。为当地居民解决了许多在养殖过程中出现的困难，深受群众好评。只有借助科技贫困实现底层民众生活水平的提升，包容性创新才能在 BOP 市场找到适宜的发展土壤。跨越“中等收入陷阱”，实现经济增长才不是一句简单的空话。

三、完善包容性创新相关政府职能

（一）确保包容性创新与政府战略发展方针的一致性

实现包容性创新，促进经济增长，离不开政府的职能运作，政府需要承担包括社会管理，政治、经济等各个领域的工作，从为市场经济的快速发展保驾护航，到维护政权的稳定与社会的和谐，再到担任经济结构改革的领导者，最终目的都是利用尽可能少的管理成本，为国民创造更多的社会服务。同时，进行包容性创新行为也不能脱离政府的战略发展方针。

包容性创新重视利用科学技术以及商业模式的转变来满足内在尤其是 BOP 底层市场的需求，通过为生产与生活提供有效服务和必需品的方式，来提高底层群体的生活水平。我们会发现包容性创新所强调的核心是利用技术来最终实现经济的复兴，国家的发展，这与“十八大”再三强调的创新驱动发展战略是吻合的。我国创新驱动发展基本战略中指出，中国必须增强全民族的科学技术意识，提高劳动者的基本素养，鼓励并吸引科技力量投入经济建设中来，注重技术创新等，并将可持续发展战略同样放在了基本发展战略的核心地位。

透过政府的战略发展方针，我们可以发现，未来中国的创新驱动发展，绝不仅仅局限于传统的精英创新。如何将传统的精英创新模式与包容性创新有机组合，将会是今后创新驱动战略的重要思考方向。因此在发展中国的包容性创新过程中，我们不仅不应回避传统创新模式，更应该将其作为自身发展的助推器，经过数十年的发展，精英创新已经形成了具有自身特色的发展轨迹与丰富的资源优势，这些都可能成为阻碍包容性创新发展的障碍，但也能够成为协助自身发展的助手。另外，包容性创新必须与可持续发展战略保持高度的一致性，由于中国发展的特殊性，我国 BOP 群体存在人群众多、覆盖面积广阔等特点。只有坚持长期性、可持续性与广覆盖性的原则，才不会将包容性创新又变成惠及一小部分人群的“传统创新模式”，才能真正让包容性创新的好处惠及全体底层民众。只要坚持了与政府政策方针的一致性，突出包容性特点，才能形成一条具有中国特色的有效包容性创新路线。

（二）确立包容性创新理论在职能转变中的先导性

包容性创新理论强调社会公平，即社会中的每名成员都拥有促进经济增长的能力，都能够进行创新性行为，无论其处于金字塔结构的顶层还是底层。而这要求政府在其职能转变与体制改革的过程中充分考虑每个社会群体的需求与发展状况，制定出一套合理的制度，让每位成员都能在其中实现自身的价值。从包容性创新的特征与内容上可以发现其包括经济层面和社会层面的创新，意味着包容性创新绝不仅仅局限于经济和社会领域，同时还存在于政治和生态文明等领域。因此，政府在进行职能转变过程中，要兼顾经济增长、居民收入分配，和生活水平的提升。真正让社会大众享有均等的创新机会。

首先，政府应该坚持可持续性发展的方式来发展经济。针对目前我国发展过程中效率与公平出现严重失衡局面，需要采取相应措施平衡两者的关系。强调社会公平的重要性，具体包括统筹各地区经济与社会的关系、改变原先粗放式发展模式，加大对于新型科技产业发展的支持力度，推动中国四化一体的均衡发展，加强对农村地区的建设。其次，提供社会大众均等参与经济创新活动的机会。区别于亲贫式创新方式，政府不仅仅只是简单地进行财富间接转移分配，直接的物质援助或许能在短期内提升创新性水平，但从长久考虑来看，对于提高底层居民收入，改善生活收效甚微。最后，应确保全体社会大众都能平等地享有国家飞速发展所带来的硕果，这不仅是包容性创新所必需的，同样也是实现共同富裕不可或缺的要求。只有这样子，包容性创新才能真正起到促进社会公平，经济增长的目的，只有这样，跨越“中等收入陷阱”才不是一句简单的空话。

（三）明确包容性创新过程中政府职能转变的取向性

区别于传统性创新行为，包容性创新相对更为脆弱，由于长期缺少足够的资金和技术支持，一直处于发展的边缘位置。因此对于包容性创新行为，政府的管理不能采取“一视同仁”的态度，必须依照其自身特点与需求来细化政府职能，具体包括：

首先，将全能型政府变成高效型政府，高度集中的政府权力与过度延伸的政府职能往往会造成管理上的越位，最终导致低效性。根据BOP市场理论，可以发现包容性创新大都发生在基层社区，很多时候双方信息的不对称，政府的错位管理不但没有促进包容性创新，甚至起到了阻碍作用。其次，要将管制型政府变成服务型政府，政府应避免使用行政手段来强制性地对包容性创新行为揠苗助长，这样子会使得包容性创新丧失自身的独立性与能动性，应利用市场方式进行管理，让其自由发展，政府只需起到必须的调节作用即可。最后，要从权力型政府转向责任型政府，将原先繁杂的程序审批流程进行简化，创造便捷通道，降低其时间与资金成本，提高基层创新者的积极性。同时责任型政府强调用责任控制权力，能有效地确保政府权力不被滥用，减少贪污腐败，以权谋私的现象发生。为包容性创新的发展建立一个机会均等、权力公平和规则公正的政府制度环境。

四、夯实包容性创新相关法律基础

（一）包容性创新与可持续性发展法律

包容性创新理念的出现，为相关法律领域也带来了新鲜的血液，包容性创新强调全体居民机会平等与坚持可持续性发展战略。同时，包容性创新的快速发展也在法律领域引发了一系列关于伦理道德的深入探讨，其内容中所蕴含道德领域和社会伦理的观点对于完善法律制度发挥着重要作用。因此，包容性创新理念对于法制社会从立法到执法再到司法都提出了更高的要求，为包容性创新提供一个良好的法律保障，需要对相关细节法进行修改与优化。

联合国曾经在《我们共同的未来》中提到，“可持续性发展重点在于满足人与人之间和人与自然之间的和谐，在于不以破坏后代生存条件的前提下满足当代人的需求。”要做到和谐的可持续发展，对于地区均衡发展有很高的要求，而这与包容性创新的理念相同，为BOP市场提供低成本、高效与具有广阔的适用范围的创新产品一直以来都是包容性创新的核心目的。法律法规应围绕其核心对相关法律修改补充，为保护包容性创新行为的长期发展，实现坚持可持续性发展战略。但由于长期的发展失衡，基层地区的包容性创新行为绝非一朝一夕可以实现，成果可能需要在一个较长的时间周期体现，政府对于法律法规的完善，必须站在一个具有长远考虑的战略性高度上进行，切不可目光短浅，只顾图眼前利益。

我国政府可以借鉴发展中国家为发展本国草根创新所修订的一系列法律条款。马来西亚政府联合马来西亚创业基金会曾对本国专利法律进行有效修改，让基层群众的创新产品能够更容易申请到专利技术，这一法规的调整，不仅保护了创新者的切身利益，而且鼓励了更多群众参与到基层包容性创新行列中。南美国家阿根廷受到巴西 RTS（社会技术网络运动）影响，利用法律形式确定了 RTS（技术促进社会参与网络运动）的重要地位，其将政府、社区、学校与科研组织进行资源整合，人才调配，为发展自身包容性创新提供一个良好的平台。由此可见，发展包容性创新需要一个坚持可持续发展战略的法律体制。此外，政府应该增加民众法律意识，意识到可持续发展的重要性，让人才和资源主动相应政府的号召，向 BOP 市场转移。刺激当地市场经济的活力，创新的积极性，形成一股良好的创新氛围，实现包容性增长的目的。

（二）包容性创新与共享式法律

包容性创新，意味着社会主体对于全体居民的需求都能给予重视，BOP 特定人群能够共享社会发展的硕果，也能够获得来自企业和政府的资源技术与政策上的支持。总的说来，包容性创新的发展依赖于以包容性增长为目的的共享性法律的支持。而这要求政府必须以人为本，从居民的根本利益出发来进行修改与补充相关法律。

首先，政府立法应该坚持把实现共同富裕作为落脚点，为了使全体居民都能享有发展成果，要求国家法律机关在立法过程中，要考虑地区发展差异，合理运用现有资源进行分配，适当赋予 BOP 市场自主性，减少法律对其行为的约束，用法律条文引导其发展的重心与方向，鼓励更多的企业和个人投入资源和技术来促进包容性创新行为，以此体现社会主义法律的公平与优越性。其次，应该完善财政法律，推动收入分配的合理化发展。利用法律，在收入的二次分配与再分配阶段对基层区域创新行为进行扶持，充分发挥政府和市场两手管理的作用。

（三）包容性创新和公平与效率并重法律

作为建立在均等公平基础上的创新行为，同时也表现了公平和效率之间密不可分的内在包容性关系。包容性创新所关注的 BOP 市场主体大都由弱势特殊群体构成，创新行为的目的是为了让这些群体受到保护，利益不收侵犯，同时促进收入增加，降低收入分配差距，最终实现经济增长。而实现公平不仅需要主观上的努力，对客观条件也有要求，而法律则是对于客观条件的补充。完善政府立法、机关执法的过程，也就是促进包容性创新发展的过程。法律的保障不仅要照顾公平，更要兼顾效率。比如赋予各地方人大代表大会权力根据当地发展状况、经济资源与环境情况，在不违背宪法的原则上，对某些法律法规做出变通式修改与补充。比如印度的蜜蜂网络运动，最初只是民间自发性行为，将来自民间的草根创新进行汇总，服务当地民众，由于缺少经验与资金，蜜蜂网络运动开展的举步维艰，印度政府为了鼓励其发展，用法律的形式明确了包容性创新的合法地位，并出资成立了“印度国家创新基金会”，以此鼓励民间创新。

五、加大对 BOP 群体的扶持力度

（一）提高低收入群体教育水平与创新能力

很多人认为包容性创新行为，必须由政府、大企业或相关科研机构牵头。其实不然，前文提到的印度蜜蜂网络中涌现出的创新，大都完全来源于草根阶段。比如由于电力覆盖不足与资源的缺乏，有人就地取材用陶土制作了不费电的小冰箱；有人发明了高效节水水泵；有人为了方便渡河，发明了水路两用自行车，而这对于那些水涝频发的地区有很强的实用性。这些看似简单的发明却也充分体现了基层的创新，哪里有需求，哪里就有创造，尤其是在资源紧缺的情况下。

我国政府应当借鉴印度经验，将这些源自民间的创新行为进行汇总，设立相关机构和基金，统一进行管理。为那些有需求，有创新意图的群体提供知识援助，将那些具有实际应用价值的创新行为优化推广，定期开设针对民众与企业的创新培训，提升创新能力与创新意识。另外，政府还应加强基层创新组织与高校科研机构的合作联系，一方

面可以避免包容性创新行为的狭隘性，另一方面也可以让科研机构深入了解基层群体的需求，以便更好的服务 BOP 群体。此外，政府应该继续坚持义务教育在偏远落后地区的普及与开展，同时在教育的过程中，应改变已有的重理论，轻实践的做法，真正做到教育的应用性与理论性并重。著名的诺贝尔经济学家艾梦德·菲尔普斯曾说过，“中国要想继续拥有高速增加的生产力与工资提升的动力，就必须大力发展本土创新，尤其是带有草根性质的包容性创新。”发展包容性创新绝非易事，仅依靠政府和少数大型企业是远远不够的，创新意识的欠缺与人才的匮乏还是阻碍包容性创新最大的根源，创新应该发生在社会的各个角落、各个岗位，而不是固定由某几个人可以做到。因此为了大力发展包容性创新，我们必须提高 BOP 群体自身的创新能力与教育水平。

（二）增加农村居民收入水平，降低收入分配差距

城乡居民收入的差距，也是影响包容性创新在农村地区开展的重要因素之一。为了消除影响，我们必须逐步缩小两元化结构所造成收入分配差距，目前，根据相关学者研究，工资性收入正成为影响收入不平衡最主要的来源。因此，为了提高农村居民的工资性收入，政府应该大力推动农业现代化，农村现代化的发展。具体包括将原先的单个经营方式向产业化转变，加大新兴产业在农村经济中的比例。对相关产业结构进行优化升级。另外，应大力推动农村向城镇化发展靠拢，发挥城镇作为城市与农村联系的纽带作用，借助城市的辐射效应，促进农村经济发展，从而带动农村居民收入提升。此外，国家应重视农村家庭营业收入对农村居民收入的影响，为此，政府应加大财政支出力度，确保农村生产原料市场价格稳定，供给充足。避免农民收入受到生产成本提高的影响。并联合企业与相关组织，建立科技农业体系，将先进技术运用到农业生产中，以此来提升农业产量，最终实现提升农民收入的目的。

（三）加强底层市场的基础设施建设

根据联合国人口与卫生组织的统计数据，截止到 2014 年，全球范围内有将近 75% 的人口仍然生活比较贫困的农村地区，公共交通的相对落后与发展速度的滞后，导致这些居民无法和城镇居民享有同等基础设施服务与社会福利服务，涉及领域包括基础教育、公共卫生、能源、再到通信与交通。覆盖经济生活的方方面面。比如在基础教育领域，大量老旧破损应该报废的教学设施仍在继续使用，危害着师生的身体健康，另外教师资源严重不足，缺少年轻血液的加入；公共卫生方面，简陋的卫生服务与水污染使得大量居民出现营养不良等现象；通讯与交通方面，完善的道路网络尚未开通，现有的道路状况因为资金缺乏而导致维护不当，电子供应不足，通讯网络覆盖不全。这些问题都阻断了其与外界的沟通，进一步加大了区域之间的发展失衡局面。作为 BOP 市场的重要构成部分，基础设施是促进 BOP 市场机制正常运作的重要硬件保障，也是包容性创新能够顺利开展的关键所在。最近几年，为了改善落后地区基础设施薄弱的局面，政府联合相关组织一直在行动，不过前方要走的路还很远。

第三节　进一步的研究展望

尽管本书对包容性创新助推跨越“中等收入陷阱”进行了较为系统的理论与实证研究，并取得了一些进展。但是由于受到样本采集、时间充裕度、作者能力等客观条件的限制，本书的研究还存在有待进一步完善的地方，可以归纳为以下几个方面：

（一）变量的测量方法有待改善

限于篇幅，本书对于某些变量指标，如包容性创新绩效水平指标体系中二级指标的选取、包容性创新助推跨越“中等收入陷阱”均衡发展路径中收入差距的衡量方法、实证研究中控制变量的选取等存在进一步改善的空间，某些变量指标仅采用了某一种测量方法，今后有必要运用多种测量指标对关键变量进行检验修订或者采用不同的计量方法进行回归，进一步提升结论的稳健性。

因研究条件有限，本书研究的样本量不够大，本书仅选取了 2005 ~ 2013 年间的省级数据为研究样本，尤其对跨越期的数据没有纳入研究范围。在未来研究中，可以进一步扩大样本范围，增加取样的广度和深度，避免出现因果误差的问题。

（二）研究关注了区域差异，而人群差异是未来研究的重点

运用省级面板数据，我们得出了包容性创新辐射效应使地方水平呈片状划分，包容性创新能力提升速度存在“马太效应”的区域差异特征。而以微观个体为研究对象，探究个体包容性创新行为对助推跨越“中等收入陷阱”的影响，将是未来的研究方向。

在人群差异方面，要开展对低收入群体创新需求的调查研究，特别是要重视少数群体的需要。首先，对中国低收入群体的数量规模、分布区域及生存现状进行调查，为推动包容性创新提供数据支撑；其次，对低收入群体现阶段参与创新实践遇到的问题及困难进行调查，为选择相应的政策支持工具提供依据；最后，需要注意的是，一部分低收入群体并不一定能够准确表述自己的需求，需要在深入调查的基础上，挖掘这些人群的现实需求和潜在要求。以上三点都是在开展包容性创新微观数据收集中所要明确的几点要求，通过微观数据的运用，能够更进一步地反映个体层面的包容性创新产出差异，更好地发展包容性创新助推跨越“中等收入陷阱”的路径研究。

（三）包容性创新具有很强的政策乘数效应，这一点在实证研究中较难体现

中国政府在促进包容性增长上的目标十分明确，许多部委、机构和地方政府对于如何在全国推动和实施包容性创新做出了积极努力。政府的推动作用主要体现在专项资金、财政刺激措施、政府采购和其他支持性工具上，而这些工具在实证研究中存在较难量化的问题，这是今后研究包容性创新作用中的重要一环，也是在后续研究中亟待解决的问题。

在推进包容性创新活动上，政府主要采取自上而下的政府项目的政策；此外，政府也倾向于直接提供产品和服务，以满足 BOP 人群的需求。然而，中国缺少高层次的国家级包容性创新机构，无法对包容性创新的实施实现有效牵头、规划、支持和监督。由于缺少清晰和统一的包容性创新战略，最终导致包容性创新的财政资金无法到位。政府要出台统一且协调一致的包容性创新战略，这将有助于改善财政资源的有效性，特别是在满足国家需求和重点目标的前提下，包容性创

新专项资金应在不同部门和目标群体间实现合理分配，未来我们可以通过构造政府资金支持的相关变量对政府乘数效应对包容性创新助推跨越“中等收入陷阱”的作用做进一步研究，这将对政府如何在包容性创新活动中定位提供参考依据。

（四）包容性创新的实施主体存在进一步细分的可能

如前所述，我们对包容性创新的实施主体除了考虑区域和人群的差异，更不应忽略私营部门、高校和公共研究机构。包容性创新作为一种创新活动，它的实施主体存在多样性。与政府主导的自上而下的模式不同，私营部门的包容性创新通常效率更高，效果更好。这些项目主要受经济利益驱动，私营企业可从中合理利用资源。同样，高校和公共研究机构是包容性创新活动的重要实施者，一些高校和公共研发机构的主要方向是农业、能源和健康，这与包容性创新的特征密切相关，所以在未来的实证研究中，应加入对这些主体包容性创新行为的研究。

虽然私营部门、高校和公共研究机构在包容性创新活动的实施中不可或缺，但许多私营部门开展的包容性创新项目在范围上覆盖有限，并缺少推广潜力。同样包容性创新虽然社会影响面较大，但难以与现在的评估体系相兼容，高校和研发机构也缺少动力去参与包容性创新研究。所以，尽管一些与包容性创新相关的产品和技术在企业和高校层面已经得到开发，但是仍缺少技术转移和产品商业化，这就急需建立起一整套从寻找立案、产品发展增值、企业发展、知识产权管理到最后商业化的政策体系和运作机制，以确保私营部门、高校和公共研究机构能够充分参与到包容性创新行为中来，发挥其适应性强、产出效率高的优势，实现经济持续发展，进一步助推跨越“中等收入陷阱”。

参考文献

英文部分

[1] Ali I, Zhuang J. Inclusive growth toward a prosperous Asia: policy implications [R]. ERD Working Paper, 2007, No. 97.

[2] Ali Ifzal, Son Hyun Hwa. Measuring inclusive growth [J]. Asian Development Review, 2007, 24 (1): 11—31.

[3] Anderson J, Billou N. Serving the world' s poor: innovation at the base of the economic pyramid [J]. Journal of Business Strategy, 2007, 28 (2): 14—21.

[4] Anderson J. Markides C. Strategic innovation at the base of the pyramid [J]. MIT Sloan Management Review, 2007, 49 (1): 83—88.

[5] Ans K, Miguel R S, Carlos R. Reviewing a decade of research on the "base/bottom of the pyramid" (BOP) concept [J]. Business & Society, 2014, 53 (3): 338—377.

[6] Chataway J, Hanlin R, Kaplinsky R. Inclusive innovation: an architecture for policy development [J]. Innovation and Development, 2014, 4 (1): 33—54.

[7] Eichengreen B, Park D, Shin K. Growth slowdowns redux: new evidence on the middle – income trap [J]. NBER Working Paper, 2013, NO. 1867.

[8] Elias G. Carayannis, Ruslan Rakhmatullin. The Quadruple/Quintuple Innovation Helixes and Smart Specialisation Strategies for Sustainable and Inclusive Growth in Europe and Beyond [J]. Journal of the Knowledge Economy, 2014: 52.

[9] Eva Heiskanen, SampsaHyysalo. Constructing innovative users and user inclusive innovation communities [J]. Technology Analysis & Strategic Management, 2010 (4): 495—511.

[10] Foster C, Heeks R. Conceptualising Inclusive innovation: modifying systems of innovation frameworks to understand diffusion of new technology to low - income consumers [J]. European Journal of Development Research, 2013 (3): 333—355.

[11] Gerard G, Anita M. Innovation for inclusive growth: towards a theoretical framework and a research agenda [J]. Journal of Management Studies, 2012 (6): 661 —683.

[12] Hanna Nari Kahle, Anna Dubiel, Holger Ernst, Jaideep Prabhu. The democratizing effects of frugal innovation: Implications for inclusive growth and state - building [J]. Journal of Indian Business Research, 2013: 54.

[13] Heeks R, Amalia M, Kintu R, et al. Inclusive innovation: definition, conceptualisation and future research priorities [J]. IDPM Development Informatics Working Paper, 2013, No 53.

[14] Heeks R, Foster C, Nugroho Y. New models of inclusive innovation for development [J]. Innovation and Development, 2014, 4 (2): 175—185.

[15] IoanaManafi, Daniela Elena Marinescu. The Influence of Investment in Education on Inclusive Growth - Empirical Evidence from Romania vs. EU [J]. Procedia - Social and Behavioral Sciences, 2013: 689—694.

[16] IS Gill, H J Kharas. An East Asian Renaissance: Ideas for Economic Growth [J]. World Bank, 2007, No. 39986.

[17] J Chataway, R Hanlin, R Kaplinsky. Inclusive innovation: an architecture for policy development [J]. Innovation and Development, 2014, 4 (1): 33—54.

[18] J PRAHALAD, CK HARTAL. The fortune at the bottom of the pyramid [J]. Strategy & Business, 2002 (20): 54—67.

［19］Jankowska A，A Nagengast，JR Perea. The Product Space and the Middle – Income Trap：Comparing Asian and Latin American Experiences［R］. OECD Development Centre，2012，NO. 311.

［20］Joanna Chataway，Rebecca Hanlin，Raphael Kaplinsky. Inclusive innovation：an architecture for policy development［J］. Innovation and Development，2014：41.

［21］Joseph K J. Exploring Exclusion in innovation systems［J］. Innovation and Development，2014（1）：73—90.

［22］Klasen Stephan. Measuring and monitoring inclusive growth：multiple definitions，open questions，and some constructive proposals［R］. Asian Development Bank，Working Paper Series，2010.

［23］Klochikhin E. Linking Development and Innovation：What does Technological Change bring to the Society?［J］. European Journal of Development Research，2012（1）：41—55.

［24］LinaSonne. Innovative initiatives supporting inclusive innovation in India：Social business incubation and micro venture capital［J］. Technological Forecasting and Social Change，2012，79（4）：638—647.

［25］Maria Elena Baltazar Herrera. Social innovation for bridging societal divides：Process or leader? A qualitative comparative analysis［J］. Journal of Business Research，2016.

［26］McKinley Terry. Inclusive growth criteria and indicators：an inclusive growth index for diagnosis of country progress［R］. Asian Development Bank，Working Paper Series，2010.

［27］Nakata C，Weidner K. Enhancing new product adoption at the base of the pyramid：a contextualized model［J］. Journal of Product Innovation Management，2012，29（1）：21—32.

［28］Ohno K. Avoiding the middle income trap：renovating industrial policy formulation in Vietnam［J］. Vietnam Development Forum，Hanoi National Graduate Institute for Policy Studies，2008，9（26）：13—41.

［29］Ohno K. Avoiding the Middle – Income Trap：Renovating Industrial Policy Formulation in Vietnam［J］. ASEAN Economic Bulletin,

2009, 26 (1), 25—43.

[30] Ohno Kenichi. Avoiding the Middle Income Trap: Renovating Industrial Policy Formulation in Vietnam [J]. Vietnam Development Forum, Hanoi National Graduate Institute for Policy Studies, 2008, 9 (26): 13—41.

[31] Paul Davis, Olivia Brady. Are government intentions for the inclusion of innovation and small and medium enterprises participation in public procurement being delivered or ignored? An Irish case study [J]. Innovation: The European Journal of Social Science Research, 2015: 283.

[32] Peter A Dacin, Tina Dacin M, Margaret Matear. Social entrepreneurship: Why we don't need a new theory and how we move forward from here [J]. Academy of Management Perspectives, 2010, 24 (3): 37—57.

[33] Philippe A, John V R, Luigi Z. Innovation and institutional ownership [J]. American Economic Review, 2013, 103 (1): 277—304.

[34] Prahalad J, Hartal C K. The fortune at the bottom of the pyramid [J]. Strategy & Business, 2002 (20): 54—67.

[35] R Heeks, C Foster. Conceptualising Inclusive Innovation: Modifying Systems of Innovation Frameworks to Understand Diffusion of New Technology to Low - Income Consumers [J]. European Journal of Development Research, 2013 (3): 333—355.

[36] R Heeks, M Amalia, R Kintu N. Shah. Inclusive Innovation: Definition, Conceptualisation and Future Research Priorities [J]. IDPM Development Informatics Working Paper, 2013, No 53.

[37] Santiago Alzugaray, Leticia Mederos, Judith Sutz. Building Bridges: Social Inclusion Problems as Research and Innovation Issues [J]. Review of Policy Research, 2012: 296.

[38] Sen A. Development as Freedom [M]. New York: Anchor-Books, 1999.

[39] SEN AMARTYA. Development as freedom [M]. New York: Anchor Books, 1999.

[40] Shahzad Ansari, Kamal Munir, Tricia Gregg. Impact at the 'Bottom of the Pyramid': The role of social capital in capability development and community empowerment [J]. Journal of Management Studies, 2012, 49 (4): 813—841.

[41] Simanis E, Hart S L. The Base of the Pyramid Protocol: Toward Next Generation BOP Strategy [M]. 2nd Edition, Center for Sustainable Global Enterprise, Cornell University, 2008.

[42] Steele, Rebekah, Derven, Marjorie. Diversity & Inclusion and innovation: a virtuous cycle [J]. Industrial and Commercial Training, 2015: 471.

[43] Sungbum J, Dongmyung L, Jinwoo P. Determining business models in bottom - of - the - pyramid markets [J]. Industrial Management & Data Systems, 2013, 113 (7): 1064—1082.

[44] Taimoor P, Alex M, Anton D W. Innovation and social entrepreneurship at the bottom of the pyramid - a conceptual framework [J]. SAJEMS Special Issue, 2013, 16: 54—66.

[45] Themaat T L, Schutte C S, Lutters D, et al. Designing a framework to design a business model for the 'bottom of the pyramid' population [J]. South African Journal of Industrial Engineering November, 2013, 24 (3): 190—204.

[46] Vandenberg P, J Zhuang. How Can China Avoid the Middle - Income Trap? [R]. Asian Development Bank, 2011.

[47] W Lazonick, M Mazzucato. The Risk - Reward Nexus in the Innovation - Inequality Relationship [J]. Industrial and Corporate Change, 2013 (4): 1093—1128.

中文部分

[1] 蔡昉. 人口转变、人口红利与刘易斯转折点 [J]. 经济研究, 2010 (4): 4—13.

［2］蔡昉.“中等收入陷阱”的理论、经验与针对性［J］. 经济学动态，2012（12）：4—9.

［3］蔡昉. 中国经济如何跨越低中等收入陷阱［J］. 中国社会科学院研究生院学报，2008（1）：13—18.

［4］蔡荣鑫.“益贫式增长”模式研究［M］. 北京：科学出版社，2010：8—15.

［5］常修泽. 关于包容性体制创新的探讨［J］. 上海大学学报：社会科学版，2012（5）：1—15.

［6］陈昌兵. 福利赶超与增长陷阱［J］. 经济评论，2009（4）：97—105.

［7］陈亮. 中国跨越“中等收入陷阱”的开放创新——从比较优势向竞争优势转变［J］. 马克思主义研究，2011（3）：50—61.

［8］成思危. 转变经济发展方式，规避中等收入陷阱［J］. 拉丁美洲研究，2011（3）：3—5.

［9］代法涛. 跨越“中等收入陷阱”：理论、经验和对策——基于44 个国家的跨国实证分析［J］. 财经研究，2014（2）：54—66.

［10］丁一兵，付缨捷，曹野. 融资约束、技术创新与跨越“中等收入陷阱”——基于产业结构升级视角的分析［J］. 产业经济结构，2014（3）：101—110.

［11］高传胜. 包容性创新与发展：中国应对持续性发展挑战的战略选择［J］. 西部学刊，2014（5）：29—32.

［12］高杰，何平，张锐.“中等收入陷阱”理论述评［J］. 经济学动态，2012（3）：83—89.

［13］高太山，柳卸林，周江华. 中国区域包容性创新绩效测度——理论模型与实证检验［J］. 科学学研究，2014（4）：613—621+592.

［14］高霞. 包容性创新研究进展［J］. 科技进步与对策，2013（8）：157—160.

［15］谷盟，魏泽龙. 中国转型背景下创新包容性、双元创新与市场绩效的关系研究［J］. 研究与发展管理，2015，27（6）：107—115.

［16］桂黄宝，张君，张媛媛. 包容性创新研究进展探析及未来展

望 [J]. 中国科技论坛，2015 (9)：5—9.

[17] 胡鞍钢. “中等收入陷阱” 逼近中国？[J]. 经济观察，2011 (6)：10—12.

[18] 黄茂兴，李军军. 技术选择、产业结构升级与经济增长 [J]. 经济研究，2009 (9)：143—151.

[19] 贾根良. 政治经济学的美国学派与大国崛起的经济学逻辑 [J]. 政治经济学评论，2010 (3)：101—113.

[20] 孔泾源. “中等收入陷阱” 的国际背景、成因举证与中国对策 [J]. 改革，2011，10：5—13.

[21] 李刚. “包容性增长” 的学源基础、理论框架及其政策指向 [J]. 经济学家，2011 (7)：12—20.

[22] 李实，万海远. 劳动力市场培育与中等收入陷阱—评《中国劳动力市场发展报告 2011—2013》[J]. 经济研究，2014 (4)：187—191.

[23] 李月，邓露. 有效经济增长与中国经济发展阶段再判断——从日本与我国台湾地区的经验谈起 [J]. 南开经济研究，2011 (2)：100—117.

[24] 李中建. 跨越 “中等收入陷阱” 的包容性体制建设 [J]. 现代经济探讨，2012 (9)：14—18.

[25] 李忠建. 包容性增长理念与 “中等收入陷阱” 风险化解 [J]. 当代经济研究，2012 (4)：65—69.

[26] 刘方棫，李振明. 跨越 “中等收入陷阱”，促进收入可持续增长 [J]. 消费经济，2010 (12)：3—5.

[27] 刘琳琳. 包容性创新的理论与政策研究 [J]. 科学管理研究，2013 (01)：18—20.

[28] 刘伟. 突破 “中等收入陷阱” 的关键在于转变发展方式 [J]. 上海行政学院学报，2011，12 (1)：4—11.

[29] 楼继伟. 中国经济的未来 15 年风险、动力和政策挑战 [J]. 比较，2010 (6)：12—18.

[30] 卢现祥，朱巧玲. 新制度经济学 [M]. 北京：北京大学出版社，2007.

［31］马克．高度警惕“中等收入陷阱”［J］．人民论坛．2010（13）：31—31.

［32］马晓河．“中等收入陷阱”的国际观照和中国策略［J］．改革，2011（11）：5－16.

［33］马晓河．迈过“中等收入陷阱”的结构转型［J］．农村经济，2011（4）：3—10.

［34］马晓河．迈过“中等收入陷阱”的需求结构演变与产业结构调整［J］．宏观经济研究，2010（11）：3—11.

［35］马岩．我国面对中等收入陷阱的挑战及对策［J］．经济学动态，2009（7）：42—46.

［36］梅伟霞．从“排斥”到“包容”——中国经济增长方式转变之路探析［J］．宏观经济研究，2011（3）：45—48.

［37］平章起，李伟．规避“中等收入陷阱”风险需要创新驱动发展［J］．理论学刊，2013（5）：63—67.

［38］钱纳里，赛尔昆．发展的型式（1950—1970）［M］．北京：经济科学出版社，1988.

［39］钱水土．周永涛．金融发展、技术进步与产业升级［J］．统计研究，2011（1）：68—74.

［40］清华大学社会学系社会发展研究课题组，孙立平．“中等收入陷阱”还是“转型陷阱”？［J］．开放时代，2012（03）：125—145.

［41］邵帅，杨莉莉．自然资源丰裕、资源产业依赖与中国区域经济增长［J］．管理世界，2010（9）：26—44．Sen A．Development as Freedom［M］．New York：AnchorBooks，1999.

［42］邵希，邢小强，仝允桓．包容性区域创新体系研究［J］．中国人口·资源与环境，2011（6）：24—30.

［43］世界银行，国家信息中心．中国包容性创新与可持续发展战略［M］．北京：经济科学出版社，2014.

［44］孙立平．“中等收入陷阱”还是“转型陷阱”［J］．开放时代，2012（3）：125—145.

［45］孙永强，巫和懋．出口结构、城市化与城乡居民收入差距［J］．世界经济，2012（9）：105—120.

[46] 唐未兵，傅元海，王展祥. 技术创新、技术引进与经济增长方式转变 [J]. 经济研究. 2014 (7): 31—43.

[47] 仝允恒，陈晓鹏，企业面向低收入群体的可持续创新 [J]. 中国人口·资源与环境，2010 (6): 125—130.

[48] 温忠麟，叶宝娟. 中介效应分析：方法和模型发展 [J]. 心理科学进展，2014，22 (5): 731—745.

[49] 吴敬琏. 中国增长模式抉择 [M]. 上海远东出版社，2008.

[50] 吴晓波，姜雁斌. 包容性创新理论框架的构建 [J]. 系统管理学报，2012 (6): 736—747.

[51] 习近平. 在十八届中共中央政治局第一次集体学习时的讲话 [N]. 人民日报，2012-11-20.

[52] 邢小强，薛飞，涂俊. 包容性创新理论溯源、主要特征与研究框架 [J]. 科学进步与对策，2015 (4): 1—5.

[53] 邢小强，周江华，仝允恒. 包容性创新：概念、特征与关键成功因素 [J]. 科学学研究，2013 (6): 923—931.

[54] 邢小强，周江华，仝允桓. 包容性创新：研究综述及政策建议 [J]. 科研管理，2015 (09): 11—18.

[55] 邢小强，周江华，仝允恒. 面向金字塔底层的包容性创新系统研究 [J]. 科学学与科学技术管理，2010 (6): 24—30.

[56] 仪明金等. 跨越"中等收入陷阱"的国际经验及启示 [J]. 经济纵横，2011 (3): 57—60.

[57] 于敏，王小林. 中国经济的包容性增长：测量与评价 [J]. 经济评论，2012 (3): 30—38.

[58] 曾铮. 亚洲国家和地区经济发展方式转变研究——基于"中等收入陷阱"视角的分析 [J]. 经济学家，2011 (6): 48—55.

[59] 湛泳，王恬. 中国经济转型背景的包容性创新 [J]. 改革，2015 (11): 54—65.

[60] 张德荣. "中等收入陷阱"发生机理与中国经济增长的阶段性动力 [J]. 经济研究，2013 (09): 17—29.

[61] 赵武，孙永康，朱明宣，高樱. 包容性创新：演进、机理及路径选择 [J]. 科技进步与对策，2014 (06): 6—10.

[62] 赵武，王姣玥. 新常态下“精准扶贫”的包容性创新机制研究 [J]. 中国人口·资源与环境，2015 (S2)：70—173.

[63] 郑秉文. “中等收入陷阱”与中国发展道路：基于国际经验教训的视角 [J]. 中国人口科学，2011 (1)：2—15.

[64] 郑思齐，廖俊平，任荣荣. 农民工住房政策与经济增长 [J]. 经济研究，2011 (2)：73—86.

[65] 周学. 经济大循环理论——破解中等收入陷阱和内需不足的对策 [J]. 经济学动态，2010 (3)：48—57.

[66] 邹秀萍，徐增让，宋玉平. 区域包容性创新能力的测度与评价研究 [J]. 科研管理，2013 (12)：343—348.

[67] 湛泳、徐乐、王恬. 包容性创新推动区域经济增长的路径研究——基于跨越“中等收入陷阱”的视角 [J]. 研究与发展管理，2017，已录用.

[68] 王恬. 包容性创新促进经济增长影响机制研究——基于跨越“中等收入陷阱”的视角 [D]. 湘潭大学，2016.

网络资料部分

[1] www. info. gov. za。

[2] www. scidev. net。

[3] http: //d - lab. mit. edu/。

[4] www. bopinc. org。

[5] www. gereports. com。

[6] www. narayanahospitals. com。

[7] www. grandchallenges. org。

[8] www. go20challenge. com。

[9] www. keionline. org。

后 记

本书是本人在复旦大学管理学院做博士后形成的出站报告基础上扩充修改而成的，在写作过程中，首先感谢我的指导老师骆品亮教授的悉心指导，同时感谢姜波克教授、芮明杰教授、张金清教授、张陆洋教授、胡建绩教授提出的宝贵建议，也感谢我的兄弟唐跃军教授，没有他的指引和建议，就没有复旦之行。最后，感谢我的学生王恬、徐乐、李珊、赵纯凯、郭巍等参与了收集大量国内外的素材，为本书的撰写提供了许多材料。

本书是中国博士后科学基金一等资助“技术创新助推跨越‘中等收入陷阱’的机制和路径研究”（项目编号：2015M570309）和国家社会科学基金一般项目“新常态下技术创新引领跨越‘中等收入陷阱’的机制和路径研究”（项目编号：15BJL015）的阶段性成果。本书的出版也得到了湖南省重点学科——湘潭大学政治经济学专业、湖南省普通高校哲学社会科学重点研究基地——湘潭大学社会主义经济理论研究中心、湖南省重点——国际经济与贸易、湘潭大学商学院学术丛书资助。同时，湘潭大学出版社的相关同志也为此付出了大量的劳动，在此一并表示感谢。

由于水平有限，本书中存在许多研究的局限性，欢迎学界同仁与读者提出宝贵意见。

湛 泳

2016 年 8 月

后记

图书在版编目(CIP)数据

包容性创新促进经济增长影响机制研究:基于跨越中等收入陷阱视角 / 湛泳著. 一湘潭: 湘潭大学出版社, 2016.9

ISBN 978-7-5687-0005-4

Ⅰ.①包… Ⅱ.①湛… Ⅲ.①企业创新—影响—经济增长—研究—中国 Ⅳ.①F124②F279.23

中国版本图书馆 CIP 数据核字(2016)第 230878 号

包容性创新促进经济增长影响机制研究
——基于跨越中等收入陷阱视角
BAORONGXING CHUANGXIN CUJIN JINGJI ZENGZHANG YINGXIANG JIZHI YANJIU

湛 泳 著

责任编辑：姚海琼
封面设计：曾天怡
出版发行：湘潭大学出版社
社　　址：湖南省湘潭市 湘潭大学出版大楼
电话(传真)：0731-58298966　邮编：411105
网　　址：http://press.xtu.edu.cn/
印　　刷：长沙宇航印刷有限公司
经　　销：湖南省新华书店
开　　本：787×1092　1/16
印　　张：11
字　　数：174 千字
版　　次：2016 年 9 月第 1 版
印　　次：2016 年 9 月第 1 次印刷
书　　号：ISBN 978-7-5687-0005-4
定　　价：36.00 元